Lees ook de eerste twee delen in deze serie:

Dat heb ik weer: een hysterische moeder, ruzie met
iedereen en vriendje afgepikt
ISBN 978 90 499 2308 2

Dat heb ik weer: het geheim van Puck, troubles met
mijn vader en desperate verliefd op de verkeerde!
ISBN 978 90 499 2356 3

CARRY SLEE

Crazy ouders,
mega misverstanden
en een valse
Gossip Queen

Surf naar **www.dathebikweer.com**
voor nog veel meer testjes
en leuke weetjes!

De *Dat heb ik weer!*-fotowedstrijd 2009 is gewonnen
door Gaia Pekel & Calista Rietdijk.
Zij staan afgebeeld op de tweede foto op het omslag.
Word BFF van Britt en blijf automatisch op de hoogte
van andere acties.

www.carryslee.nl
www.dathebikweer.com

Eerste druk maart 2010
Tweede druk oktober 2010
Derde druk januari 2012

Tekst © 2010 Carry Slee
Testjes Nadja Slee
Illustraties binnenwerk © 2010 Kristel Steenbergen
© 2010 Carry Slee en FMB uitgevers, Amsterdam
Omslagbeeld iStockphoto.com
Omslagontwerp twelph.com
Opmaak binnenwerk CeevanWee, Amsterdam

ISBN 978 90 499 2387 7
NUR 283

Carry Slee is een imprint van FMB uitgevers bv

Dat heb ik weer!

Woehieeeeeh!!! Love is in the air!! I'm sooooooo in love! Dave is de grootste hunk van de wereld! We hebben al heel vaak gezoend. Mijn moeder weet nog van niks. Mijn vader weet het wel. Ik baal zo dat hij naar Japan gaat, want nou kan hij mijn hunk niet zien.
xxx Britt

Geplaatst door: Britt | Reacties (5)

Reactie van Kelly
Hi Britt,
Je vader is toch nog niet weg? Je neemt Dave gewoon een keer mee naar je vaders atelier.
Kelly

Reactie van Fons
Nooit doen. Dat willen boyzz niet. Hoe lang hebben jullie verkering? Twee weken? Take it easy. Je kunt beter een foto sturen.
Fons

Reactie van Kelly
Je snapt er niks van, Fons! Britts vader zit straks aan de andere kant van de wereld. Ze wil we- ten wat hij van Dave vindt. Mag ze dat nog?
Kelly

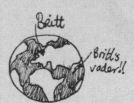

Nee hè? Heb je die eikel ook weer. Hij houdt gewoon nooit op. Zelfs nu hij weet dat ik verkering met Dave heb. 'Je moet een keer een afspraak met hem maken,' zei Puck laatst. 'Dan ga ik mee en kunnen we hem zien.'

Blèèèh. Dat is echt iets voor Puck, die houdt wel van een beetje spanning. Maar ik vind het horror. Ik hoef die engerd niet te zien.

Ik wil net uitloggen als er een bericht van Reinoud binnenkomt.

1

Thanks, Reinoud. Ik krijg meteen een super idee. Zou ik het nog redden om vanmiddag langs paps atelier te gaan? Over een halfuurtje heb ik met Dave afgesproken. Pap is er pas om halftwee weer. Dan zou ik mooi voor de film met Dave bij pap langs kunnen gaan.
Yes! Ik ren de trap af.
'Tot vanavond!' roep ik tegen mam. 'Ik ga naar de film.'
'Veel plezier!' roept mam terug. Ze weet nog steeds niet dat ik iets met Dave heb. Ik heb geen zin in gezeur. Had je haar moeten horen toen Noah verkering had. 'Ik snap niet dat Noahs moeder dat goedvindt. Van mij zou het niet mogen. Lekker met meiden onder elkaar leuke dingen doen. Dat is veel fijner op jullie leeftijd.' Zo ratelde ze maar door. En dat ging alleen nog maar over Noah en zij is zelfs een halfjaar ouder dan ik.
Pap is heel anders. Hem kan ik alles vertellen. Hij reageert nooit zo stom als mam. Hij vindt het juist fijn dat ik een vriendje heb. 'Als je maar plezier hebt,' zegt hij altijd. 'En vooral niet doen wat je zelf niet wilt.'
Ik haat die ouderwetse ideeën van mam. Soms wenste ik dat het andersom was, dat mam naar Japan ging in

plaats van pap. Maar ik denk dat ik haar dan ook heel erg zou missen. Maar niet zo desperate als pap.

Ik krijg meteen een rotgevoel. Ik hoop elke dag dat pap belt om te zeggen dat het niet doorgaat. Maar dat kan niet meer. Bijna al zijn spullen zijn al verscheept. Hoe moet het als pap er niet meer is? Nu niet aan denken. Dit wordt mijn middag. Ik ga met Dave naar de film. *You are the only one.* Een super lovestory.

Stralend rijd ik door het centrum. Het is ook zo fijn dat mijn droom is uitgekomen. Ik was al zo lang verliefd op Dave. Ik werd gestoord van mezelf omdat ik hem niet uit mijn hoofd kon zetten. Elke keer als ik hem op school zag, kon ik niet meer normaal denken. En nu is het aan. En hoe! Soms kan ik het nog steeds niet geloven...

Vlak voor paps atelier scheur ik de stoep op. Ik smijt mijn fiets neer, doe de deur open en leg mijn portemonnee op tafel. Zogenaamd gisteravond vergeten. Snel! Ik wil niet te laat bij Dave zijn.

Als ik weer op de fiets zit, gaat mijn mobieltje.

Het is Dave!

'Hi, darling, ik ben er al!' zegt hij.

Alleen al bij het horen van zijn stem val ik zowat flauw. Ik bots bijna tegen een geparkeerde auto op.

'Ik ben er bijna!' kan ik nog net uitbrengen. En ik race de straat uit.

Bij het viaduct komt Dave me tegemoet. Hoe hij op zijn fiets zit. Zo stoer met die gespierde armen. Wat is het toch een hunk!

'Hi.' Hij pakt mijn stuur vast. Als ik stilsta, slaat hij een arm om me heen en kust me. Ik kijk in zijn lieve ogen. En dan kussen we weer. Nu heel lang. Brommers racen langs. Sommige toeteren. En een paar jongens op een scooter roepen iets. Maar het kan me niks schelen.

'Zullen we?' zegt hij na een tijdje.

Nu moet het gebeuren. Ik voel zogenaamd in mijn jaszak. 'Shit!' zeg ik. 'Ik heb iets stoms gedaan.'

'Met een ander gezoend?' vraagt Dave.

'Haha, leuk hoor. Wat denk jij nou? Zo ben ik niet. Never nooit doe ik dat. Nee, ik heb mijn portemonnee in mijn vaders atelier laten liggen. Maar zo erg is het nou ook weer niet. We komen er bijna langs.'

Ik kijk hoopvol naar Dave. Zou hij erin trappen?

'We hoeven je portemonnee nu niet op te halen,' zegt hij. 'Ik schiet de kaartjes wel even voor.'

'Heel lief, maar eh... Ik heb hem echt nodig. Er zit nog een bonnetje van de stomerij in. Na de film moet ik iets ophalen voor mijn moeder.'

'Oké,' zegt Dave. 'Dan ga jij je portemonnee maar halen. Ik wacht wel op de hoek.'

'Je kunt toch wel meegaan,' zeg ik.

'Nee, dank je,' zegt Dave.

'Mijn pa is heel relaxed,' probeer ik nog.

'Kan wel zijn, maar ik hoef hem niet te zien.'

Ik merk aan Dave dat ik niet moet aandringen.

'Hoe komen we het snelst bij je vaders atelier,' vraagt Dave als we op de fiets stappen.

'Nou, laat maar,' zeg ik. 'Ik doe het wel na de film.'

Balen. De hele actie is voor niks geweest.

We fietsen naast elkaar. Ineens pakt Dave mijn hand. Hand in hand rijden we door de stad. Het voelt zo fijn. Ik zou het wel uit willen schreeuwen. Kijk dan! Ik rijd hand in hand met Dave! Ik voel het door mijn hele lichaam, een heel warm en gelukkig gevoel. Ik ben mijn maffe actie helemaal vergeten als mijn mobieltje gaat.

'Hi Britt, met papa. Ik kom op mijn atelier en vind je portemonnee.'

'Dat weet ik. Ik miste hem al. Maar ik kan hem nu niet halen, want ik ga naar de bios, weet je nog.'

'O ja, welke film ook alweer?'

'*You are the only one*. Na afloop pik ik hem wel op.'

'Veel plezier.'

Echt pap weer. Hij weet dat ik met Dave ben.

Dave pakt weer mijn hand. Ik heb het gevoel dat ik zweef. Voor het verkeerslicht stoppen we. Dave buigt zijn gezicht naar me toe en kust me. 'Jij bent mijn only one,' fluistert hij in mijn oor. En hij kust me weer.

Opeens wankel ik. Ik val met fiets en al tegen een geparkeerde auto aan. Dave en ik krijgen de slappe lach. Maar dan wordt de deur van het huis ervoor opengegooid. Een man stormt naar buiten.

'Mijn auto! Zijn jullie helemaal gek geworden! Dit gaat jullie geld kosten!' Hij bekijkt zijn auto. We schrikken, maar gelukkig is er niks te zien. De man blijft maar turen, met zijn neus bijna op de auto.

'Dat hij er geen vergrootglas bij houdt,' fluistert Dave.

'Staan blijven!' zegt de man als we weg willen fietsen. 'Ik moet jullie nummer hebben. Als ik toch nog iets vind, kunnen jullie dokken.'

Dave geeft hem een nummer.

'Wat was dat voor nummer?' vraag ik als we de straat uit zijn.

'Wouters nummer. Een verrassing voor hem,' lacht Dave. 'Wat een eikel was die man, zeg. Zo meteen zijn alle kaartjes uitverkocht.'

Als we de straat van de bios in rijden, schrikken we. Het is loeidruk bij de bioscoop.

'Shit!' zegt Dave. 'Je zult zien dat we er nu niet meer in komen.'

Een groepje jongens en meiden komt naar buiten. 'Uitverkocht!' roepen ze tegen hun vrienden.

Nee hè! Die gare autofreak heeft onze hele middag verpest. En ik had me er nog zo op verheugd!

'Britt!' hoor ik als we weg willen rijden.

Voor de bios staat pap. Hij houdt mijn portemonnee omhoog. 'Ik kwam hier toch langs.'

'Hi!' Ik geef hem een zoen. 'Dit is Dave!' zeg ik trots.

'Hi, Dave,' zegt pap. 'Dus jullie wilden naar de film.'

'Hij is uitverkocht,' zeg ik.

'Daar was ik al bang voor,' zegt pap. 'Het liep storm. Ik dacht: ik koop vast twee kaartjes. Kijk eens.' Hij geeft me de kaartjes.

'Super!' zegt Dave.

'Jongens, ik ga, voordat ik een bon krijg,' zegt pap. 'Ik mag hier helemaal niet parkeren.'

'Dank u wel!' roept Dave hem nog na.

Pap stapt in en rijdt toeterend weg.

'Coole pa heb je,' zegt Dave.

'Zei ik toch.' Ik knijp in Daves hand. Ik ben zo benieuwd wat pap van Dave vindt.

Als we in de hal van de bios staan, krijg ik een sms'je.

Leuke boy, x pap

Na de bioscoop fiets ik bij Noah langs. Ik ben nog helemaal in een roes. Het was zo romantisch met Dave. Ik moet het even kwijt. En Puck is er niet.

'Haha, die face van jou,' lacht Noah als ik haar kamer in kom. 'Je bent super verliefd. Ik haal even cola en dan wil ik alles horen. Alles, hoor!'

Noah rent de trap af en komt even later met haar armen vol naar boven. 'Ik heb ook chippies gescoord,' zegt ze.

Zoals gewoonlijk nestelen we ons lekker op haar bed.

'Wacht even,' zegt Noah. 'Even een toepasselijk zwijmelmuziekje op zetten.'

Ze wil opstaan als er wordt gebeld. Op de trap klinken voetstappen. Sanne valt Noahs kamer binnen.

'En? Heb je je opgegeven voor de dance performance?' vraagt Noah.

'Ja,' zegt Sanne. 'En jou ook. Vet, dan gaan we om het weekend optreden.'

'Maar de band dan?' zeg ik. 'Noah, jij bent onze zangeres. We zullen altijd in het weekend moeten optreden.'

'Onze voorstellingen beginnen pas na de vakantie,' zegt Sanne. 'Geloof jij dat Crazy Ontbijtkoek dan nog bestaat?'

'Natuurlijk wel,' zeg ik. 'Laat Puck het maar niet horen. De band is haar grote droom.'

'Tot nu toe hebben we maar één optreden staan,' zegt Noah. 'In Bliss.'

'Ja,' zeg ik. 'Maar ik ga een e-mail naar alle feestcommissies van scholen sturen. Met twee vrijkaartjes. Als ze dan komen kijken en ons goed vinden, boeken ze ons. Wedden dat onze agenda daarna volloopt?'

'Wow!' zegt Noah blij. 'Heel slim bedacht, manager.'

'Dus als ik jou was, zou ik nog maar niks vastleggen bij jazzballet,' zeg ik.

'Het hangt ervan af wat je liever wilt,' zegt Sanne tegen Noah. 'Zingen in een beginnend bandje voor een paar jongeren. Of dansen voor uitverkochte zalen. Ik zou het wel weten.'

'De band is wel cool,' zegt Noah aarzelend. 'En eh... Dennis zit erin, hè?'

Sanne reageert niet. Maar haar kwaaie gezicht zegt genoeg.

2

's Morgens op de fiets denk ik aan het mailtje van Shooting Star. Ik zag het nog net voordat ik wegging. We gaan bijna draaien. Soms kan ik het nog steeds niet geloven dat ik een rol heb in *Rogiers vlucht*. Anne, de hoofdrol nog wel. En Dave speelt Rogier.

'Britt!' Een eind achter me hoor ik Puck. Ze neemt een spurt.

'Hoe was de film?' vraagt ze hijgend als ze naast me rijdt.

'Sorry,' zeg ik. 'Ik zou het je niet kunnen zeggen. Ik heb bijna niks van de film gezien.'

'Nee!' roept Puck.

'We hebben alleen maar gezoend,' lach ik. 'Nick en Max zaten ook in de bios. Een eindje achter ons. En elke keer als Dave en ik zaten te zoenen, gooiden ze M&M's naar ons.'

'En jullie lekker doorzoenen,' zegt Puck. 'Heb je geen pijn in je nek?'

'Nee,' lach ik. 'O Puck, hij is zo lief... Hij...'

'Ja, daar gaan we weer,' zegt Puck overdreven zuchtend. 'Ander onderwerp graag.'

'Oké,' zeg ik. 'Ik kreeg net een mailtje over de film. Dat meisje dat Elisabeth zou spelen had toch ineens afgezegd? Ze hebben een ander voor die rol gevonden. Weet je wie? Melanie Rijker.'

'Wow!!! Van de soap. Wat een mazzel. Ik vind haar steengoed. Die film wordt een hit, Britt. Onze band moet ook een hit worden. Heb je die mail nog verstuurd?'

'Gisteravond,' zeg ik.

Eerlijk gezegd was ik het bijna vergeten. Maar dat hoeft Puck niet te weten. Ik lag gisteravond al in bed toen ik er pas aan dacht. Oeps! De band, dacht ik. Ik heb de wekker op zes uur gezet. Vanochtend heb ik de mail verzonden. Ik moest wel, ik ben hun manager. Over tien dagen is ons optreden.

Puck pakt mijn stuur vast. 'Britt, Crazy Ontbijtkoek moet beroemd worden. Het moet!'

'We gaan ervoor,' zeg ik. Maar eerlijk gezegd ben ik bang dat het nog erg lastig gaat worden. Dat kan ik alleen niet tegen Puck zeggen. De band is zo belangrijk voor haar. Eerst wilde ik nog stoppen als manager van Crazy Ontbijtkoek. Ik heb ook nog Dave en de film. Maar eigenlijk vind ik het wel goed zo. Mijn leven lekker volstouwen met leuke dingen. Dan heb ik geen tijd om pap te missen.

'Weet je wie in hun film gaat spelen?' zegt Puck als Noah naast ons komt rijden. 'Melanie Rijker.'

'Ze speelt Elisabeth,' zeg ik. 'Die aan Rogier wordt uitgehuwelijkt.'

'Pas maar op met Dave,' waarschuwt Noah. 'Die Melanie is echt een dreamgirl! Je weet hoe Dave is...'

'Welnee,' zegt Puck. 'Dave is hartstikke verliefd op Britt. Dat is anders dan toen met jou, Noah. Je kunt het niet vergelijken. Als hij hetzelfde voor jou had gevoeld, had hij nooit met Britt gezoend. Het klinkt lullig, maar het is wel zo.'

'Ik hoop het voor je, Britt,' zegt Noah alleen maar. Ze haalt haar schouders op.

Ik weet dat ze het meent. Maar ik vind het nog steeds moeilijk. Dat ik dat echt heb gedaan! Gezoend met het vriendje van mijn beste vriendin. Hoe stom kun je zijn?

Als we het schoolplein op rijden schiet Max ons meteen aan. 'Wat denken jullie, kan Geitensok een vrouw krijgen?'

'Jezus,' zegt Puck. 'Ik ben net wakker.' Ze kijkt me aan.

Ik gebaar dat ze haar mond moet houden. Behalve Noah en Puck mag niemand weten dat mijn moeder zo crazy is dat ze Blok Geitensok leuk vindt. Erger nog: ze is verliefd op die loser.

'We hebben een weddenschap,' zegt Nick als we onze fiets hebben weggezet. 'Ik weet zeker dat Geitensok nooit een vrouw zo gek krijgt dat ze met hem wil daten.'

Max valt hem bij. 'Je moet wel hartstikke gestoord zijn als je op zo iemand valt.'

Noah schiet in de lach. Ik voel me ongemakkelijk.

'Ander onderwerp graag,' zeg ik. 'Straks hebben we wiskunde. Dat al is erg genoeg.'

'Nee,' zegt Max. 'Het is geen geintje. Het is heel serieus.'

16

'Het eerste uur vrij,' zegt Evelien, die de school uit komt. 'Staat op het bord.'

'Super,' zegt Max. 'Dan kunnen jullie me helpen met ons nieuwe project.'

Hij neemt ons mee naar het computerlokaal.

'Wat is dit nou weer?' zegt Puck, als Max een of andere datingsite aanklikt. 'Ga je daten? Ben je bang dat je niemand krijgt? Ik dacht dat je op Nick was. Of is het om de schijn op te houden dat je straight bent?'

Max gaat nergens op in. 'Ogen dicht,' zegt hij geheimzinnig. 'Een, twee, drie... Kijk maar!'

Ik geloof mijn ogen niet! Op de site staat Blok! Dus die loser is stiekem aan het daten terwijl hij wat met mijn moeder probeert. Hé, wacht eens even. Dat komt goed uit. Als ik haar dit vertel, knapt ze wel af.

'We hebben hem er gisteravond op gezet,' zegt Nick.

Shit! Dus hij heeft het niet zelf gedaan.

'Hoe vinden jullie hem?' vraagt Max. 'Het profiel is nog niet af. Jullie moeten even meedenken.' Hij leest voor wat ze al hebben.

'Dag dames, mag ik me even voorstellen? Ik ben Gerard, een energieke veertiger die midden in het leven staat. Ik werk als leraar wiskunde op een scholengemeenschap. Ik hou ervan om jonge mensen een goede basis mee te geven.'

'Om ze gek te maken, zul je bedoelen,' zegt Sanne.

'Wat moet er nog bij zijn profiel?' vraagt Max.

'Kernwoorden: controlefreak, drammer, ouwe zeur,' zegt Sanne.

Max typt: betrouwbaar, doorzetter, respect.

'Ik nodig u uit om te reageren als u van klutsknieën houdt, in korte broek,' dicteert Sanne. 'Met harige X-benen eronder.'

'In gezondheidssandalen,' voegt Puck eraan toe.

'En in een garderobe uit het stenen tijdperk,' zegt Nick.

'Oké,' zegt Max, 'daar maken we van: Als je van naturel houdt, van puur natuur en van klassieke eenvoud, dan ben ik misschien degene die je zoekt.' Hij typt alles in.

'Zo, nu het volgende onderdeel: Wie ik zoek. Jongens, wie zoekt onze vriend?'

'Kinderen geen bezwaar,' lacht Nick. 'Poor kids, die zitten zo in het gekkenhuis. Ja, toch? Als je zo iemand bij je thuis krijgt, dan flip je.'

Inderdaad, denk ik. Maar ik laat niks merken.

'Nou, wat voor vrouw zoekt hij? Kinderen geen bezwaar dus, dat staat.'

'Ik denk dat hij op lelijke vrouwen valt,' zegt Nick. 'Een beetje spooky.'

'Heksjes,' zegt Sanne.

Ik denk aan mam. Hoe is het mogelijk dat ze met Geitensok wil? Ik kan het echt nooit vertellen.

'Ja, hij wil vast een eng wijf,' zegt Nick. 'Zo een met haren op haar tanden. Die hem slaat.'

'Dat zetten we er dus niet bij hè, want dan reageert er echt niemand,' zegt Max. Hij begint te typen. 'Ik zoek een vrouw...' zegt hij hardop.

'Uiterlijk onbelangrijk, echte schoonheid zit vanbinnen!' wordt er geroepen.

'Als ze maar houdt van macrobiotisch eten en wandelen. En vooral van wiskunde!' roept een ander.

Nick dicteert: 'Ik zoek een vrouw met wie ik de perfecte gelijkzijdige driehoek kan vormen, samen zijn wij het natuurlijke getal 2... Is dit niet te erg?'

'Eng!' griezelt Sanne. 'Jij denkt echt als Blok.'

'En ze moet kunnen breien,' zegt Max. 'Ze moet sokken voor hem breien.'

'Dat doet z'n moeder toch al?' zegt Sanne. 'Dan krijgen ze ruzie.'

Er wordt gelachen.

'Niet breien dus.' Max haalt het weg.

'Er komt echt geen reactie,' zegt Nick. 'Denk aan Bloks lievelingsvak kansberekening. Dit is een kans van 0,00000001.'

'Op elk potje past een dekseltje,' zegt Evelien.

Wat is het toch een tutje.

'Maar niet op Geitensok,' zegt Nick. 'Onze grote uitzondering. Wedden?'

'Ja, wedden?' zegt Max. 'We maken een pool. Sanne, wat denk jij?'

'Geen dates,' zegt Sanne.

Max gaat de hele klas na. De meesten denken dat niemand reageert. Alleen al door hoe hij op de foto's staat. Wat erg! En mijn moeder is verliefd op die engerd. Ineens vliegt het me aan. Hou op met die rotwedstrijd! wil ik roepen. Weten jullie wel hoe erg het is als Geitensok echt je stiefvader wordt?

'Jij, Britt?'

'Weet ik veel,' zeg ik boos. 'Wat kan mij die zak schelen.'

Ik voel tranen in mijn ogen opkomen en loop weg.

'Shit!' roept Max als we het geschiedenislokaal uit lopen.

'Ik kan alvast een één in mijn agenda zetten. Ik heb mijn proefwerk helemaal verpest.'

'Wie niet,' zeg ik. 'Ze vroeg allemaal dingen die niet in het boek stonden.'

'Ik ga protesteren,' zegt Nick.

'Hoezo, protesteren?' zegt Evelien. 'Alles wat mevrouw Kort heeft gevraagd, heeft ze behandeld in de les.'

Heb je haar weer. Nerd. Ik erger me dood aan die griet. En ik ben niet de enige. Evelien is ook vreselijk. Ze verklikt alles.

'Mevrouw Kort heeft jullie vaak genoeg gewaarschuwd dat jullie moeten opletten in de les,' zegt ze tot overmaat van ramp. 'Dit was te verwachten.'

'Mevrouw Kort,' lacht Max. 'Drs. M.A. Kort zul je bedoelen.'

Zelf baal ik ook. Ik kan geen onvoldoende voor geschiedenis gebruiken. Voor wiskunde sta ik ook al een vier. Ik wil wel over. Hoe eerder van die school, hoe beter. Hoewel? Het is wel fijn om Dave elke dag te zien. Balend lopen we de aula in.

'Ik zag jou ook zitten peinzen onder het proefwerk,' zeg ik tegen Puck.

'Dat ging niet over het proefwerk,' zegt Puck. 'Toen ik de vragen zag, wist ik het meteen. Dit heeft geen zin. En toen heb ik over de band nagedacht. Dat optreden in Bliss is cruciaal voor ons. Zeker als al die feestcommissies komen. Daarom lassen we zaterdagavond een extra repetitie in.'

20

'Helemaal mee eens.' Ik pak meteen mijn agenda. 'Staat genoteerd.'

'Zaterdagavond?' roept Sanne. 'Dan kan Noah niet. Mijn nicht komt speciaal over dit weekend. We zouden met z'n drietjes uitgaan.'

'Jammer dan voor je nicht,' zegt Puck. 'Dan moet je het verzetten.' Als Noah de aula binnenkomt zegt Puck meteen: 'Schrijf op: zaterdagavond repetitie.'

Noah pakt haar agenda.

'Dan kun je niet,' zegt Sanne. 'Mijn nicht komt toch?'

'Dit weekend al?' vraagt Noah.

'Ja, ik heb het gisteren geregeld. Door dat stomme proefwerk ben ik het helemaal vergeten tegen je te zeggen. Je laat ons niet zitten, hè?'

Noah zucht. 'We moeten repeteren.'

'Ja, daag!' zegt Sanne. 'Dit hebben we al lang geleden afgesproken.'

'Niet dat het dit weekend zou zijn,' zegt Noah.

'Ach, jij laat toch altijd de band voorgaan. Leuk hoor, zo'n vriendin. Je wilt ook al niet naar de dance performances. Ik heb het er helemaal mee gehad.' Sanne loopt kwaad de aula uit.

'Laat haar maar,' zegt Puck.

Ik zie dat Noah het moeilijk vindt. 'Ik wil geen ruzie,' zegt ze en ze gaat achter Sanne aan.

'Noah zal toch moeten komen,' zegt Puck. 'Kiki heeft er een feestje voor afgezegd.'

'Natuurlijk komt ze,' zeg ik. 'Noah is hartstikke trouw.' Ik voel een kus in mijn nek. Dave! Ik sla een arm om hem heen.

21

'Hoe ging geschiedenis?' vraagt hij.

'Slecht.' Maar het kan me niks meer schelen. Niks kan me meer schelen. Dave is gewoon een tovermiddel.

'Jij moet morgen kostuums passen, hè?' zegt hij. 'Ongezellig, ik moet een dag later pas.'

Puck duwt me een cola in mijn hand. 'Misschien zie je Melanie,' zegt ze. 'Ik wilde dat ik mee kon.'

'Dat mag niet,' zeg ik. 'Ik weet trouwens niet eens of ze er is. We moeten allemaal op een andere tijd.'

'Jij hebt helemaal mazzel, Davie,' zegt Wouter, die met Daves vriendengroepje bij ons komt staan. 'Jij mag met Melanie zoenen. Kan ik niet even stand-in voor je zijn?'

'Nou, dat laat hij zich niet afnemen,' lacht een ander. 'Alleen daarvoor zou ik die rol al willen.'

Waarom word ik nou weer rood? Ik baal ervan en sla gauw mijn ogen neer.

Puck heeft het natuurlijk weer gemerkt. Die ziet altijd alles. Ze geeft me ongemerkt een por in mijn zij. Ik weet wat ze bedoelt. Ik moet niet jaloers zijn. Het hoort erbij. En het betekent niks. Dat weet ik ook wel, maar toch...

Dave aait me door mijn haar en loopt samen met zijn vrienden de aula uit.

'Wel stom dat hij niks zei,' zeg ik tegen Puck. 'Hij deed net of hij het ook fijn vond om met Melanie te zoenen.'

'Wat denk je nou? Al zijn vrienden stonden erbij. Boys moeten nou eenmaal stoer doen. Je wilt toch ook geen watje? Het is voor de film, Britt. Het moet.'

'Hij zal er nog wel over beginnen,' zeg ik.

'En dan doe jij niet moeilijk,' zegt Puck. 'Je wilt toch zelf ook dat het een goeie film wordt? Je moet zeggen dat je het goedvindt. Promise?'

Ik pak Pucks hand. 'Hé, er staat een A op je hand.'

'Help, ik moet naar de administratie om een formulier te laten tekenen.' Puck staat verschrikt op en haast zich de gang op.

Ik wil net de aula uit gaan als Noah binnenkomt.

'Snapt Sanne het?' vraag ik.

'Eh... ja, nee. Ik bedoel, ik snap het. Ik kom zaterdag niet repeteren.'

'Wat? Dat kun je niet maken. Als Puck dit hoort...'

'Zeg nog maar niks. Ik kan niet altijd alles voor de band afzeggen, Britt.'

'Noah, we hebben een belangrijk optreden volgende week. Ik heb niet voor niks al die feestcommissies uitgenodigd.'

Puck zal razend zijn als ze dit hoort. Ik gun het haar zo dat Crazy Ontbijtkoek het gaat maken. Ze heeft het moeilijk genoeg. Haar moeder zit in een afkickkliniek voor drugsverslaafden. Ik ben de enige die weet dat haar moeder een junkie was.

'Puck pikt dit niet,' zeg ik.

'Begin jij nou ook al,' verzucht Noah. 'Ik heb het nou eenmaal al beslist, sorry.'

'Wat denk je dat Dennis hiervan vindt? Ik dacht dat je indruk op hem wilde maken. Nou, op deze manier maak je zeker indruk. Not!'

Op dat moment komt Sanne de aula weer in. Ze slaat

een arm om Noah heen. 'Wij gaan een super weekend krijgen, wedden?'

Exciting!!
Straks zie ik Melanie Rijker. Ze speelt in de film. Ik moet kleding passen en ik lees net in een mail van Shooting Star dat zij vlak na mij komt.
Zo spannend! Als ik maar niks stoms tegen haar zeg.
See you!
Britt

Geplaatst door: Britt I Reacties (2)

Reactie van Kelly
Super dat jij met Melanie in de film speelt. Ze is echt een beauty. Misschien worden jullie nog vriendinnen. Dan kom ik op je verjaardag, hoor! Een VIP-party...!!
En Britt, krijgen we nog een testje, please? Een beautytestje?
Kel

Reactie van Tamara
Wow!!!
Wat spannend, Britt. Vraag je een handtekening voor mij? Je kunt hem scannen en op je blog zetten! En dan past er volgens mij nog precies een testje naast... ;-)
Thankx! Tamara

Hier alvast een testje...
Bye! Britt

24

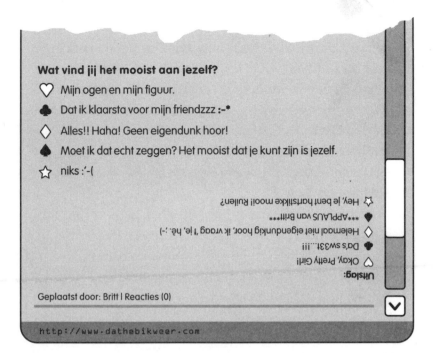

Wat vind jij het mooist aan jezelf?

♡ Mijn ogen en mijn figuur.

♣ Dat ik klaarsta voor mijn friendzzz :-*

◇ Alles!! Haha! Geen eigendunk hoor!

♠ Moet ik dat echt zeggen? Het mooist dat je kunt zijn is jezelf.

☆ niks :'-(

Uitslag:

◇ Okay, Pretty Girl!

♣ Da's sw33t...jii

◇ Helemaal niet eigendunkig hoor, ik vraag 't je, hè. :-)

♠ ***APPLAUS van Britt***

☆ Hey, je bent hartstikke mooi! Ruilen?

Geplaatst door: Britt | Reacties (0)

http://www.dathebikweer.com

'En dit is Britt,' zegt Maria als ik bij Shooting Star binnenkom. Ze geeft me drie zoenen. 'Britt, dit is Daisy. Zij draagt zorg voor de kleding.'

'Hi Britt, daar staat jouw rek,' zegt Daisy. 'Ik heb me goed in de tijd verdiept en toen kwam ik hierop uit.' Ze haalt er een soort bruin jakje af. 'Ik hoop dat het past.'

Mijn god. Ik heb er nog helemaal niet aan gedacht dat ik van die rare kleren aan moet.

'Ja, een boerenmeid, hè,' zegt Daisy. 'En dan in de middeleeuwen. Als je het leuk vindt, kan ik je wel een fotoboek laten zien. Eerst maar eens passen. Deze rok hoort erbij. Ik zie het al, die moeten we wat innemen.'

'Ik voel me wel een beetje lelijk in die kleren,' zeg ik.

'Nee hoor, Britt,' zegt Maria met een tevreden gezicht.

25

'Jouw natuurlijke schoonheid en je stralende lach zijn juist mooi bij dit soort kostuums.'

'En dan hebben we nog de omslagdoek,' zegt Daisy.

'Het wordt wel steeds erger,' lach ik als ze de grijze wollen doek om me heen slaat.

'En hier is het kapje. Wat vind jij, Maria? Het kapje, of een hoofddoek?' Daisy knoopt me het kapje om en bekijkt me kritisch.

'Alle twee,' zegt Maria. 'We wisselen ze af. O ja, die klompen moet je mee naar huis nemen. Daar moet je op oefenen. Anders zit je straks onder de blaren.'

'Wat loopt dat moeilijk! Echt sexy is het niet,' lach ik. Ik durf niet eens in de spiegel te kijken.

'Je krijgt geen sieraden,' zegt Daisy. 'Boerenmeiden hadden dat niet. We houden het sober.' Ze houdt me een spiegel voor.

Ik schrik me dood. 'Moet Rogier hierop vallen?'

'Nou, reken maar,' zegt Maria. 'Je hebt zo'n pure uitstraling, daar kan de rijkdom van Elisabeth niet tegenop.'

Ik kijk naar het rek met prachtige jurken naast me. Er hangt een kaartje aan. MELANIE staat erop.

'Je bent klaar,' zegt Daisy.

Ik ben blij als ik mijn eigen kleren weer aanheb. Het zal wel wennen, maar nu nog even niet.

Dat is d'r! denk ik als de deur opengaat. Melanie komt binnen.

'Hi!' Ik loop naar haar toe. 'Ik ben Britt.' Ik geef haar een hand.

Melanie stelt zich niet eens voor. 'Jij speelt toch Anne?' vraagt ze meteen.

Ik knik.

'Dus jij bent mijn rivale. Ik zag een screentest van Rogier. Dave heet hij, geloof ik. Een lekker ding. Heb jij hem al ontmoet?'

Ik heb zo'n zin om te vertellen dat het míjn Dave is, maar Dave en ik hebben afgesproken het geheim te houden.

'Nooit weg toch, zo'n lekker ding op de set,' gaat Melanie verder. 'Als er dan toch gezoend moet worden, dan wel graag met een hunk. Ja, toch?'

'Het is alleen voor de film.' Waarom zeg ik dit nou? Ze zal wel denken: wat een tutje.

'Heb je al eens op de set gekust?' vraagt Melanie.

'Het is Britts debuut,' zegt Maria. 'Trouwens, van Dave ook.'

'Nou, die zal geen moeite hebben om twee dames te verleiden,' zegt Melanie. 'Dat zie je wel aan hem. Ik mag dat wel, een bijdehandje. Beter dan zo'n verlegen figuur. Nou, ik ga maar eens passen.'

Haar blik glijdt langs het kledingrek. 'Super!' zegt ze en ze trekt een van de jurken aan.

Nu is ze nog mooier. Voor het eerst vind ik het moeilijk dat ik Anne speel.

3

Ik kan het zelf bijna niet geloven, maar ik zit aan mijn huiswerk. Ja, op zaterdagmiddag! Als Puck dit wist, zou ze me pesten. Ik voel me ook wel erg braaf! Maar ik moet wel. Vanavond hebben we repetitie van de band. En de rest van het weekend moet ik mijn rol oefenen. Na die misser bij geschiedenis heb ik ineens de zenuwen gekregen. Ik heb mijn proefwerk nog niet terug, maar ik vrees het ergste. En dan sta ik er zo belabberd voor.

Maar ik kan me niet goed concentreren. Ik moet de hele tijd aan pap denken. Hij gaat volgende week weg. Ik merk ook aan Lucas dat paps vertrek steeds dichterbij komt. Hij is heel chagrijnig. Had pap maar nooit een Japanse vriendin gevonden. Nu Yahima zwanger is, heeft ze opeens heimwee naar Japan. Pap wil heel graag dat we hem komen uitzwaaien op Schiphol. Ik mag wel een mega pak tissues meenemen!

Ik wil net aan mijn biologie beginnen als mijn mobieltje gaat. Dave!

'Hi darling, ik heb je raad nodig,' zegt Dave. 'Mijn nicht is jarig. Ik wil een cadeautje voor haar kopen, maar ik weet niks. Ik loop al een uur in de stad. Ik word er helemaal desperate van. Ineens dacht ik: ik vraag het gewoon aan mijn liefje. Jullie lijken ook nog op elkaar.'

'Waar ben je?'

'Ik zit nu op het terras bij Mister X.'

'Ik kom naar je toe,' zeg ik. Jammer voor mijn biologie, maar ik ga echt wel naar Dave. Ik vind het zo vet dat hij mij vraagt om hem te helpen.

'Mama! Ik ga!' roep ik. Ik gris mijn jas van de kapstok en haal mijn fiets uit het schuurtje.

Het is alsof ik naar Dave wordt gezogen, zo hard fiets ik. Het is zo fijn om hem te zien. Ik race naar het centrum. Als ik bijna bij Mister X ben stap ik af. Ik kan niet buiten adem en met een rood gezicht bij Dave aankomen. Lekker sexy! En ik moet ook niet te erg laten merken dat ik naar hem verlang. Dat zegt Puck. 'Dan is de spanning er voor hem af,' zegt ze. 'Zo zijn boys.' Puck heeft al veel meer ervaring dan ik. Eigenlijk is dat nog het moeilijkst, me inhouden. Ik zou wel elke minuut een sms'je willen sturen.

Zodra mijn ademhaling weer normaal is, rijd ik naar het terras. Kijk mijn hunk nou zitten, daar in de hoek. Ik weet zeker dat mijn gezicht straalt. Ik ben ook zo totally verliefd op hem. Ik loop naar hem toe.

'Hi.' Ik geef hem een kus. 'Goed dat je mijn hulp hebt ingeroepen.'

'Had je wel tijd?' vraagt Dave.

Voor jou altijd, wil ik zeggen. Maar ik houd me in. 'Ik zat maar wat te zappen,' zeg ik zo nonchalant mogelijk. Hij hoeft niet te weten dat ik op zaterdagmiddag

aan mijn huiswerk zat. Dan denkt hij nog dat hij verkering heeft met een nerd.

'Zullen we?' vraagt Dave. 'Ik heb maar een halfuur. Ik
moet nog naar paardrijles.'

Dave moet leren paardrijden voor de film. Ik zou best
mee willen naar de manege. Lijkt me super om hem
op een paard te zien.

'Mag ik mee?' vraag ik.

'Nee!' zegt Dave. 'Ik bak er niks van. Kom maar over
een poosje, als ik een echte ruiter ben.'

Ik snap het wel. Ik wil ook niet dat hij mij op mijn
klompen ziet stuntelen.

'Wat denk jij dat ze leuk zou vinden?' vraagt Dave als
we door de winkelstraat lopen. Hij pakt mijn hand. Ik
kan bijna niet meer denken. 'Als jij nou iets mocht uitzoeken,' gaat hij verder, 'wat zou je dan nemen?'

Ik denk ineens aan de gelukspoppetjes die ik samen
met Puck heb gezien. Ik vond er één heel vet. Puck
ook. Maar we hadden geen van beiden geld meer.

'Misschien wil ze wel een gelukspoppetje,' zeg ik.

'Wat is dat nou weer?' vraagt Dave.

'Een poppetje dat je aan je mobieltje kunt hangen.'

Dave slaat een arm om me heen. 'Daar was ik dus nooit
opgekomen.'

We komen bij de winkel waar je de gelukspoppetjes
kunt kopen. Ik heb zin om nog even door te lopen,
maar Dave moet straks naar de manege toe.

'Hier kun je ze kopen,' zeg ik.

We gaan samen de winkel in.

'Daar heb je ze. Ze zijn wel duur. Zes euro of zo. Je hebt

ook goedkopere. Ik weet niet wat je wilt uitgeven.'
'Zoek jij er maar een uit die je mooi vindt.'
Ik bekijk de poppetjes. Eigenlijk weet ik het al. Ik pak
het gelukspoppetje dat ik met Puck heb bekeken. Jammer genoeg heb ik geen geld, anders kocht ik er ook
een voor mezelf. 'Deze vind ik heel gaaf,' zeg ik. 'Kijk,
zo maak je hem aan je mobieltje vast. Vet toch?'
Dave moet lachen. 'Wel schattig, ja. Dus deze vind jij
echt het mooist?'
'Super gaaf!' zeg ik. 'Ik weet natuurlijk niet wat je nicht
ervan vindt. Het is trouwens wel zes euro.'
'Geen punt,' zegt Dave. Hij rekent het poppetje af en
even later lopen we naar onze fiets.
'Cool dat je meteen kwam,' zegt hij.
Hij moest eens weten! Al belt hij midden in de nacht,
ik kom meteen. Ik weet dat het crazy is, maar toch zou
ik dat doen.
'Geef je mobieltje eens?' zegt Dave als we voor Mister
X staan.
Hij pakt het poppetje uit en maakt het aan mijn mo-
bieltje vast. 'Alsjeblieft.'
'Hè?' Ik kijk hem verbaasd aan.
'Het is voor jou,' lacht hij. 'Omdat ik zo blij met je ben.'
'Wat lief! Dus het is helemaal niet voor je nicht.' Ik kus
hem.
'I love you,' zegt Dave. 'Wie is trouwens dat jochie?'
Hij wijst naar de overkant van de straat.
Shit! Ik zie Lucas en zijn vriendje Ruben wegrennen.
'Dat is mijn broertje,' verzucht ik.

Als Dave wegrijdt, fiets ik naar paps atelier. Ik wil hem een cadeautje meegeven voor Japan. Het is een lijstje met een mooie foto van mij, gemaakt op de set. Ik zie er als een berg tegen op, maar omdat ik Dave net heb gezien, voel ik me sterk genoeg. Ik pak mijn mobieltje uit mijn zak en leg het gelukspoppetje in mijn hand.

Ik kijk door het raam van het atelier. Pap is de laatste spullen aan het inpakken. Zijn atelier is zo goed als leeg. Hij stopt als hij me ziet en laat me binnen.

Ik voel een brok in mijn keel. Niet aan denken dat dit misschien de laatste keer is dat ik hem hier kan opzoeken...

'Ik was net met Dave,' zeg ik gauw. 'Hij belde met een smoes of ik hem wilde helpen om een cadeautje uit te zoeken voor zijn nicht, en toen kreeg ik dit van hem.' Ik laat het gelukspoppetje zien.

Pap kijkt stralend. 'Lief, zeg. Maar hij heeft ook wel heel veel geluk met jou!' Ik lach.

Als pap thee gaat zetten, stop ik gauw het cadeautje in een van zijn tassen. Ik wil niet denken aan het afscheid. Ik kan hem straks nog lang genoeg missen. Ik wil hem alles vertellen over de film. Ik bijt op mijn lip, omdat ik niet wil huilen.

Dat heb ik weer!

Heeft iemand van jullie weleens op klompen gelopen? Ik moet het kunnen voor de film. Ik lag net bijna op mijn kont.
Bijna-Boerin Britt

Geplaatst door: Britt | Reacties (1)

Reactie van Kelly
Ik zou je weleens willen zien, haha! Je moet de klompendans doen. Hatsjiekiedeee...!! Krijgen we nog een testje, Bijna-Boerin Britt? ☺
Greetzzz Kelly

Hatsjiekiedeee een testje! X van de Bijna-Boerin

Als je mocht kiezen, in welke tijd zou jij willen leven?

♡ Liefst in een tijd met een lekker warm klimaat, niet te veel enge roof-
dieren en zonder veel ziektes of oorlog. Bijvoorbeeld op een mooi
tropisch eiland dat nog niet is ontdekt...

♣ In het Oude Egypte, om te zien hoe
ze die gigapiramides hebben ge-
bouwd. En mag ik dan ook nog ff
rondkijken bij de Oude Grieken, de
Romeinen, de Inca's, de indianen
en de keizers van China, please?

♢ Doe mij maar de sixties: lekker ronddartelen in een bloemenjurkje ;-)

♠ In deze tijd, bij mijn family & friendzz.

☆ In de toekomst! Dan zou ik 200 jaar van nu willen leven, dan is de
wereld helemaal geweldig geworden met super technologie en
zonder milieuvervuiling.

Uitslag:

♡ Dat klinkt als je eigen paradijsje...!! Enjoy!

♣ On tour langs al die grote beschavingen. Cool...!!

♢ Yeah, Love & Peace...!!

♠ Als je family & friendzz om je heen hebt, is het helemaal goed. I wish...
zucht

☆ Great! *digitale kus van Robo-Britt-Bliep*

Geplaatst door: Britt I Reacties (2)

Reactie van Kelly
Thankxx!! Ik had hartje ;-)
Kelly

Reactie van Jasper
O nee, mijn boerinnetje is gevallen! Ik wil naast
je staan om je op te vangen...!!! Klompen
staan je vast prachtig. Alles staat jou mooi,
Britt. Je bent gewoon een beauty. Mijn beauty.
Ik had natuurlijk schoppen: all I want is... you!
Boer-Zoekt-Vrouw Jasper

Hou op, eikel. Kon ik maar een klomp naar zijn kop smijten.

Ik sla mijn biologieboek weer open en ga verder met mijn huiswerk, maar ik schiet helemaal niet op. Ik kan alleen maar aan Dave denken. Voor de zoveelste keer bekijk ik het gelukspoppetje.

'Britt, ik moet je spreken,' zegt mam als ik later beneden kom.

'Nu niet,' zeg ik. 'Ik moet naar de band.'

'Britt, zo gaat het niet langer,' zegt mam. 'Mevrouw Kort was toevallig bij mij in de winkel. Ik moest een boeket maken voor haar moeder. Ze liet zich ontvallen dat het niet goed met je gaat op school. Je hebt nu ook al je geschiedenisproefwerk heel slecht gemaakt. Terwijl je daar altijd goed in bent.'

Shit! Een vette onvoldoende dus, dat verwachtte ik al.

'Ik ga beter mijn best doen,' zeg ik.

'Je hebt ook veel te veel aan je hoofd,' zegt mam. 'De film, en dan ben je ook nog eens manager van Crazy Ontbijtkoek. Dat zijn twee grote dingen die heel veel aandacht vragen. Naast je schoolwerk.'

'Drie grote dingen!' roept Lucas. 'Ze heeft ook verkering.'

'Hou je kop, stom joch!' roep ik.

'Ik heb het zelf gezien, ze zoenden.'

Gelukkig gaat mam er niet op in. Maar ik weet zeker dat ze er op een ander moment over begint. Ik haat mijn broertje.

'Je zult moeten kiezen,' zegt mam.

'Dat kan niet,' zeg ik. 'Ik kan toch niet zomaar met de film stoppen.'

'Misschien kan iemand anders manager van de band worden,' zegt mam.

'Dat wil ik niet. Ik beloof dat ik mijn best ga doen, echt waar.' Ik steek twee vingers omhoog. 'Promise.'

'Goed dan,' zegt mam. 'Ik hou je eraan. Anders moet je wel kiezen.'

'Mag ik dan nu weg?'

'Ja,' zegt mam, 'maar ik meen wat ik heb gezegd.'

Balen dat Kort met mam heeft gepraat. Dat heb je nou met een moeder die in een bloemenzaak werkt. Er is altijd wel een leraar die binnenkomt. Zo heeft ze Geitensok trouwens ook ontmoet. Hij kwam bloemen halen voor zijn zus.

Ik fiets de straat uit en kijk of ik een sms'je van Noah heb. Ik glimlach als ik het gelukspoppetje zie. Puck zal het ook wel super vinden. Als ze geen rothumeur heeft tenminste. Vanochtend was ze nog razend toen ze Noah had gesproken. Ik vind het zo belachelijk dat Noah vanavond niet komt repeteren. Ik snap dat Puck baalt. Noah kan het gewoon niet maken. Dat weet je als je bij een band zit: de band gaat altijd voor, net als de film. Ik zie al voor me dat ik af zou zeggen omdat ik iets leukers te doen heb. Dan vlieg ik er meteen uit. Maar ik zou niks leukers weten. Ik vind het nog steeds super dat ik in de film mag spelen. Als Dennis hoort dat Noah niet komt, knapt hij op haar af. Dom van haar. Ze vindt hem zo leuk.

'Komt Noah niet?!' hoor ik Kiki zeggen als ik de garage binnenkom.

'Nee,' zegt Puck. 'Ze moet naar Sanne. Die heeft een of andere nicht die overkomt.'

'Dat pik ik niet,' zegt Kiki. 'Dan had ik ook wel naar mijn feest kunnen gaan.'

'Wat moeten we?' zegt Puck. 'We kunnen haar nu niet uit de band kicken. We zitten vlak voor een optreden.'

'Ik vind dat je haar moet waarschuwen,' zeg ik.

Puck knikt. 'Een serieuze waarschuwing. Flikt ze het weer, dan kan ze ophoepelen.'

'Van mij mag ze nu al vertrekken,' zegt Kiki fel.

'Het komt door Sanne,' zeg ik. 'Noah kan niet tegen haar op.'

'Niks mee te maken.' Kiki geeft een slag op haar drumstel.

Daar zul je Dennis hebben, denk ik, als de deur van de garage opengaat. Maar het is Noah.

'Wat denken jullie? Ga ik bij Sanne langs om tegen haar nicht te zeggen dat ik niet kan, is er helemaal geen nicht,' zegt ze verontwaardigd.

'Misschien komt ze nog,' zeg ik.

'Welnee. Sannes moeder wist van niks. Ik was woedend op Sanne. We hebben nog nooit zo'n ruzie gehad. Maar nu weet ik het dus. Ze kan er niet tegen dat ik in de band zing.'

'Dumpen,' zegt Puck meteen.

'Nee,' zegt Noah. 'Dat hoeft niet. We hebben het uitgesproken. Ze heeft hartstikke spijt van haar actie. Ze gaat het goedmaken, zei ze.'

'Goed dat je er bent,' zeg ik.

'Goed?' roept Kiki. 'Het zal je geraden zijn.'

'Dat vind ik ook,' zegt Puck. 'Wie laat zijn eigen band nou klappen?'

'Doe ik dat dan?' roept Noah kwaad. 'Ik ben er toch? Of niet soms?' Dan vraagt ze zachtjes: 'Waar is Dennis?'

'Eruit gestapt,' zeg ik doodleuk.

'Nee!' Noah schrikt. 'Heb ik daarvoor zo'n toestand met Sanne gemaakt? Ik was bang dat hij anders van me zou balen.'

Op dat moment komt Dennis hijgend binnengerend.

'Sorry, te laat van huis gegaan.'

Ik zie hem naar Noah kijken. Goed dat ze er is.

4

Dat heb ik weer!

I need your help!!!!
Dit wordt de worst day ever. Mijn vader vertrekt vandaag naar Japan. Ik moet hem zo uitzwaaien...
Super verdrietige Britt

Geplaatst door: Britt I Reacties (0)

http://www.dathebikweer.com

Voor de zoveelste keer kijk ik vandaag op mijn weblog. Nog steeds geen reacties. Is er soms iets met mijn weblog? Anders krijg ik altijd meteen antwoord. Ik ben zo desperate dat ik zelfs iets van Jasper zou willen horen. Waarom hoor ik niks? Ik heb raad nodig! Maar een kwartier later staat er nog niks op. Ik kijk op mijn

39

wekker. Shit! Het is pas halfzeven. Logisch dat niemand reageert. Wie zit er nou 's morgens om halfzeven achter zijn laptop te freaken? Wist ik veel, ik ben allang wakker. Vannacht heb ik zowat niet geslapen.

Ik denk aan pap en hoe hij zich nu moet voelen. Hij vindt het zelf ook heel moeilijk dat hij weggaat, dat merk ik wel. Elke keer als hij erover begint, trilt zijn onderlip. Het is ook vreselijk. Ik zag pap zowat elke dag. Over vier uur stapt hij in het vliegtuig en dan woont hij aan de andere kant van de wereld. Misschien zie ik hem wel een jaar niet. Of langer. Pap heeft heus niet zoveel geld dat hij zomaar naar Nederland kan vliegen. Ik haat afscheid nemen. Ik ben stom geweest. Puck en Noah wilden met me meegaan. Als je beste vriendinnen op zo'n moment bij je zijn, is het misschien minder erg. Maar ik, stomkop die ik ben, moest me weer zo nodig groot houden.

Ik dacht dat ik alles aankon nu ik verkering met Dave heb. Zelfs het vertrek van pap. Maar nu het zover is, voel ik me desperate. Zal ik Puck vragen of ze toch komt? Ik pak mijn mobieltje en bel haar nummer, maar ik krijg meteen haar voicemail. En Noah heeft haar mobieltje zeker weer in haar jaszak zitten, want ze neemt niet op. Had ik gisteren nou maar ja gezegd toen ze het voorstelden. Hoe moet dat straks op Schiphol? Wedden dat ik zo erg moet huilen dat iedereen me aanstaart? Opeens schrik ik. Hoe moet dat op school? Dan loop ik de rest van de dag met dikke, rode ogen. Dat heb ik altijd als ik erg heb gehuild. Dan zie ik er niet uit. Wat moet Dave wel niet van me denken als hij

me zo ziet? Ik heb net verkering. Dat ga ik toch niet verpesten omdat ik pap moet uitzwaaien? Ik zit vast de hele weg terug in de auto te janken. Als Dave er nou bij was, dan zou het nog wel gaan. Hij zou me troosten. Maar ik moet met Lucas. Aan mijn broertje heb ik ook geen steun. Hij vindt het zelf net zo moeilijk.
Ik ga weer achter mijn laptop zitten.

Beneden hoor ik mam. Lucas is ook op. Voor hem vind ik het wel rot dat ik niet meega. Lucas vindt het toch al zo erg dat pap weggaat. Toen hij het voor het eerst hoorde, raakte hij helemaal in paniek. Hij wilde mee naar Japan. Ik schrok me dood. Eerst gaat mijn vader naar de andere kant van de wereld. En dan ook nog mijn broertje. Raar is dat, soms kan ik Lucas niet uit-

41

staan. Maar toen hij zei dat hij met pap mee wilde, vond ik het hartstikke erg. Gelukkig is hij van gedachten veranderd. Hij zei dat hij zijn vrienden niet kan missen. Maar het gaat niet alleen om zijn vrienden natuurlijk. Hij kan niet zonder mam.

Als ik beneden kom, dekt mam de tafel.

'Ik ga niet mee naar Schiphol,' zeg ik. 'Ik kan het niet.'

'Dan moet je niet gaan, schat,' zegt mam. 'Je bent je vader niks verplicht. Hij doet zelf ook wat hij wil. Ik kan het nog steeds niet begrijpen dat hij jullie in de steek laat.'

Mam zet de theepot neer. Net iets te hard. 'Blijf maar lekker thuis, dan breng ik alleen Lucas.'

Ik kijk naar mam. Haar hand trilt. Ik denk aan een jaar geleden. Toen woonde pap nog thuis en waren we een gezin. De ruzies werden wel steeds erger. Ineens kwam de scheiding. Ik hoopte nog zo dat het goed zou komen. En nu vertrekt pap met een andere vrouw naar Japan. Opeens moet ik huilen. Mam houdt me vast.

'Weet je zeker dat je achteraf geen spijt krijgt?'

'Als jij meegaat de vertrekhal in, dan durf ik het wel,' zeg ik.

'Nee, Britt,' zegt mam. 'Ik pieker er niet over. Je vader heeft zich laten verleiden door een andere vrouw. Ze heeft het voor elkaar. Nu gaat hij een nieuw leven met haar beginnen aan de andere kant van de wereld. Hij laat ons allemaal in de steek. Ons hele huwelijk, alsof het niks heeft voorgesteld. En dan kan ik ze gaan uitzwaaien? Je denkt toch niet dat ik gek ben?'

'Ik ga papa wel uitzwaaien,' zegt Lucas met een bibber-
stemmetje.

'Dat is goed, jochie,' zegt mam. 'Ik breng je en wacht
buiten op je.'

Lucas knikt. Hij houdt zich flink. Maar toen ik gisteravond zijn kamer in kwam, lag hij in zijn bed te huilen.
Nu moet hij nog alleen afscheid nemen ook. Kan ik
het wel maken om niet te gaan? Tegenover pap is het
ook gemeen. Hij zal het vreselijk vinden. Hij heeft het
zo vaak gezegd: jullie zijn er toch wel als ik vertrek?
Shit! Shit! Shit! Ik haat deze dag.

'Als je toch nog van gedachten bent veranderd, moet
je nu opschieten!' zegt mam.

Veranderde pap maar van gedachten...

Mijn mobieltje gaat. Zou het Puck zijn? Nee, het is
Dave! Ik neem mijn mobieltje mee naar mijn kamer.

'Hi sweety, ik wilde je even sterkte wensen,' zegt Dave.

'Wat lief van je!'

'En als je afscheid van je vader hebt genomen, kijk dan
in de vertrekhal naar een super verliefde boy.'

'Hè? Kom je naar Schiphol?!' roep ik.

'Natuurlijk doe ik dat,' zegt Dave. 'Ik laat mijn liefje
daar toch niet alleen staan als haar vader net is vertrokken. Ik stap zo in de trein. Kus.' En hij hangt op.

Wat een schat is het toch!

Dat heb ik weer!

Big surprise!!!
Mijn liefie gaat mee naar
Schiphol. Het is zo'n fijne
gedachte dat hij er straks is!!
Love, Britt

Geplaatst door: Britt | Reacties (0)

http://www.dathebikweer.com

Ik zit voor in de auto naast mam. Lucas zit achterin. We zijn al in de buurt van Schiphol. Ik kijk naar een vliegtuig dat bezig is te landen. Zat pap daar maar in, dan was hij tenminste straks bij ons. Meestal als we langs de landingsbanen rijden is Lucas heel opgewonden. Hij kent zowat alle vliegtuigen. Maar nu staart hij stilletjes naar buiten.

'Kijk,' zegt hij verdrietig als er een vliegtuig opstijgt. 'Een Boeing 747, daar gaat papa straks ook in.' In plaats van het vliegtuig na te kijken draait hij zijn hoofd weg.

Mam moppert als ze het terrein van de luchthaven op rijdt. 'Wat is het hier druk. Een gekkenhuis. Ik weet echt niet waar we heen moeten.'

'Daar moet je heen!' Ik wijs op de borden boven de weg. 'Kijk dan, daar staat het. Vertrekhal.'

'Verdomme, zeg dat dan eerder,' valt mam uit. 'Nu kan ik er niet meer tussen.'

Waar slaat dit nou op? Ik zeg maar niks. Mam is gestrest. Terwijl ze doorrijdt, maakt ze oogcontact met de chauffeur op de baan naast haar. Gelukkig, ze mag ertussen.

Voor de vertrekhal stopt ze. 'Stappen jullie maar snel uit. Ik mag hier niet staan. Bel maar als jullie klaar zijn. Ik sta ergens in een parkeergarage.'

Pap staat al voor de vertrekhal te wachten. Hij ziet ons en komt naar ons toe. Hij kijkt naar mam. Ik weet zeker dat hij haar gedag wil zeggen. Mam ziet hem heus wel kijken, maar ze rijdt snel weg. Waarom wacht ze nou niet even?

'Zo, knul van me.' Pap aait Lucas over zijn bol. Hij drukt mij tegen zich aan. 'Super dat jullie ons komen uitzwaaien.' Pap doet net alsof hij een paar weken op vakantie gaat.

Yahima staat in de hal. Ze lacht zenuwachtig naar ons.

'Jongens, we hebben al ingecheckt,' zegt pap vrolijk. 'En de koffers worden al ingeladen. We hebben nog wel even tijd voor een drankje voor we door de douane moeten.'

Een drankje, alsof ik daar zin in heb. Ik krijg geen slok door mijn keel. Maar ik wil ook nog geen afscheid nemen. Op weg naar de roltrap pakt pap onze hand. 'We gaan daar even zitten,' zegt hij als we beneden zijn. Hij wijst naar een terrasje. 'Zoeken jullie maar vast een tafeltje. Dan haal ik wat te drinken. Drie verse jus d'orange?'

Ik knik alleen maar en loop naar een tafeltje.

Naast ons zit een meisje met haar oma. Ze springt op en rent naar de monitor.

'Oma!' roept ze. 'Papa en mama zijn geland!' Ik zie haar stralende gezicht. Zo was het vroeger bij ons ook. Het was altijd feest als we pap en mam ophaalden nadat ze een paar dagen met z'n tweetjes weg waren geweest. Hun gelukkige gezichten als ze samen door de gate kwamen. Nu gaat pap voorgoed naar Japan. En mam zit ergens in een parkeergarage te wachten.

Pap zet de jus d'orange voor ons neer. Ik zie dat hij op zijn horloge kijkt. Hoe lang hebben we nog samen? Ineens vliegt het me aan. Wat zitten we hier nou? We wachten alleen maar op het afschuwelijke moment waarop we afscheid moeten nemen. En pap zit maar grapjes te maken. Ik wil helemaal niet wachten tot het eindelijk zover is. Maar ik wil ook niet dat het tijd is. Angstig kijk ik naar de klok. Nog een paar minuten, dan moeten ze weg. Yahima zit al te draaien op haar stoel. Dan staat ze op. 'Ik ga vast.' Ze groet ons, alsof ze ons morgen weer ziet. Pap blijft nog even zitten. Niemand zegt meer iets. Lucas wordt met de seconde bleker.

'Nou, dan moet het maar gebeuren,' zegt pap met een brok in zijn keel. Hij staat op en loopt met zijn arm om Lucas en mij heen de trap op naar de vertrekhal. Yahima is al door de douane. Nog even en dan verdwijnt pap daar ook door. Nu gaat het gebeuren. Het moment waar ik zo bang voor ben geweest. Ik voel dat ik tril als pap ons vasthoudt. Lucas en ik huilen. Er druppen tranen op mijn hoofd. Die zijn van pap.

'Ik zal jullie zo missen,' zegt hij hees. Hij laat ons langzaam los.

'Nee!' roept Lucas. 'Niet gaan. Papa, je moet blijven.' Hij klampt zich aan pap vast.

'Het kan niet, jochie.'

Het lijkt net een nachtmerrie. Pap draait zich om en loopt weg. Hij loopt de vertrekhal uit in de richting van de douane. 'Papa!' Lucas wil hem achterna rennen, maar ik houd mijn broertje vast. Door een waas van tranen zie ik pap bij de douane staan. Hij draait zich om en zwaait. Lucas rent naar buiten, naar mam. Ik sta daar maar. Mensen met koffers lopen langs me. Alles draait om me heen. Even lijkt het of ik flauw ga vallen. Maar dan voel ik een arm om me heen.

'Huil maar, liefje.'

Ik druk mijn gezicht tegen Daves borst. Hij aait door mijn haar.

'Sorry,' zeg ik snikkend.

'Niks sorry.' Dave neemt mijn gezicht tussen zijn handen en drukt kusjes op mijn wang. Het is of hij mijn tranen wegkust.

'Gaat het?' vraagt hij na een tijdje.

'Ja.' Ik veeg mijn tranen weg. 'Zijn mijn ogen rood?'

'Helemaal niet,' zegt Dave.

'Maar die jongens kijken naar me,' zeg ik. 'Mijn ogen zijn vast rood en dik.'

'Ze kijken omdat je het mooiste meisje van de wereld bent,' zegt Dave.

'Papa is weg.' Ik zucht. 'Ik kan het nog niet geloven. Ik

zou zo naar zijn atelier kunnen gaan.'
'Niet aan denken,' zegt Dave. 'Denk maar aan de film.
En mij heb je ook nog.'
Dave kust me. Midden onder de kus gaat mijn mobiel-
tje.
'Hi, mama.'
'Waar blijf je, liefje? Je moet daar niet in je eentje blij-
ven staan. Kom maar gauw. Ik sta schuin aan de over-
kant voorbij de bussen.'
'Ik ben niet alleen,' zeg ik. 'Ik kom Dave net tegen op
de luchthaven. Je weet wel, die jongen die Rogier
speelt. Mag hij met ons meerijden?'
'Natuurlijk,' zegt mam.

5

De volgende ochtend als ik wakker word, zie ik dat er
een sms'je van pap is.

Veilig geland.
Zodra mijn ADSL werkt, gaan we skypen.
Dikke knuffel.
Papa

Nu is pap dus echt in Japan. Ik krijg meteen weer een
rotgevoel. Dan kan ik skypen met mijn vader. Alsof
daar iets aan is. Achter zo'n stomme computer met je
vader praten in plaats van lekker naar zijn atelier te
gaan en samen thee te drinken. Wat moet ik nou terug
sms'en? Niks dus. Ik stop mijn mobieltje weg. Ik wil er
niet meer aan denken. Ik wil het eerste grote optreden
van Crazy Ontbijtkoek vanavond niet laten verpesten
door mijn vader. Ik stuur gauw nog een mailtje naar
iedereen die ik ken.

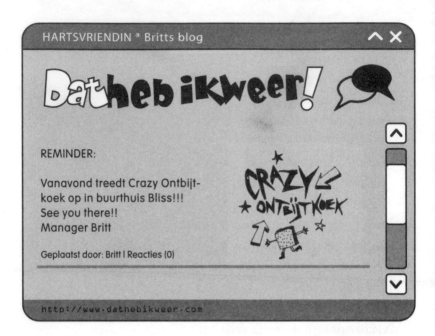

Dat heb ik weer!

REMINDER:

Vanavond treedt Crazy Ontbijt-
koek op in buurthuis Bliss!!!
See you there!!
Manager Britt

Geplaatst door: Britt | Reacties (0)

http://www.dathebikweer.com

Ik merk dat ik het al heel gewoon vind dat ik manager van Pucks band ben. In het begin werd ik steeds rood als ik me voorstelde. Maar nu spreek ik met gemak de feestcommissie van een of andere school aan, of een baas van een buurthuis. 'Hallo, ik ben de manager van Crazy Ontbijtkoek.' Lachen toch? Wie had nou gedacht dat ik ooit manager van een band zou worden?

Deze avond wordt echt mega belangrijk. Mijn e-mail heeft effect gehad. De feestcommissies van de drie scholen uit de omgeving hebben al gereageerd. Als ze komen, gaan ze ons vast boeken. Crazy Ontbijtkoek is absoluut een topper. Mijn mobieltje gaat. Het is Puck. Ik dacht wel dat ze zou bellen. Die houdt het natuurlijk niet meer.

'Hi, Puck. Je wilt zeker afzeggen voor vanavond.'

'Dat had je gedacht. Never nooit. Heb je al gehoord wie er komen?'

'Nog geen enkele reactie,' zeg ik droog.

'Shit!' roept Puck.

'Ik kan het niet helpen,' zeg ik nog. 'Ik heb er alles aan gedaan.'

'Balen!' Puck zucht.

'Haha..!' lach ik. 'Ik heb al drie toezeggingen.'

'Nee!'

'Ja!'

'Super!' roept Puck. 'Daar komt vast iets uit.'

'Het is nog geen avond,' zeg ik. 'Misschien komen er nog wel meer.'

'O, Britty! Spannend!'

Als ik ophang, hoor ik voetstappen op de trap.

Ik doe mijn kamerdeur open. 'Hé,' zeg ik als ik Noah zie. 'Ik sprak Puck net. We hebben al drie toezeggingen.'

Noah zegt iets, maar ik versta er niks van.

'Waarom fluister je?'

Noah wijst op haar keel. 'Ik ben hees,' piept ze.

'Grapje. Ja, dat zou wel heel erg zijn. Net nu we vanavond gaan scoren.'

'Ik ben echt hees,' fluistert Noah. Ze haalt een zak drop uit haar zak. 'Het helpt niks.'

'Wat? Je meent het toch niet, hè? Wat moeten we nou? Puck valt flauw als ze dit hoort.'

Noah probeert te zingen. Ze klinkt echt heel erg schor. Ja, dat zal Puck leuk vinden. Een bandje met een kraai als zangeres.

'Ik weet een medicijn,' zeg ik. 'Het is een recept van mijn over-over-over-grootmoeder. Het helpt echt. Kom mee.' Ik sleur Noah mee naar de keuken. Ik schenk een glas warm water voor haar in en doe er een theelepel zout in. 'Gorgelen!'

Noah neemt een slok. 'Gadver.' Ze spuugt het uit.

'Het moet,' zeg ik. 'Het helpt echt. Je wilt toch niet dat we afgaan vanavond?'

Noah neemt weer een slok. Ze gorgelt.

'Het hele glas moet leeg,' zeg ik.

Noah gorgelt en gorgelt.

'Mooi zo,' zeg ik als het glas leeg is. 'Over tien minuten moet je weer gorgelen. Ik laat het glas vast vollopen.'

Terwijl Noah gorgelt, kijk ik boven op mijn laptop. Alweer twee scholen die vanavond komen.

'Het gaat wat beter!' zegt Noah als ik beneden kom.

'Yes!' roep ik. 'Lang leve mijn over-over-over-grootopoe. En we hebben al vijf toezeggingen voor vanavond.'

'Te gek!' schreeuwt Noah.

Ik schrik me rot. 'Pas op je stem!'

's Avonds ben ik al vroeg in Bliss. Ik wil even checken of alles in orde is. Ik zie John en Pim naar binnen gaan.

'Jullie moeten de trap af!' roep ik. 'De kleedkamer is beneden.' Ik loop naar de vrouw van de kassa toe.

'Als er mensen met vrijkaartjes zijn, wilt u ze dan naar mij doorsturen? Ik sta bij de bar.'

'Het komt goed hoor, kind.'

We hebben afgesproken dat ik de verschillende feestcommissies opwacht en een drankje aanbied. Wel lekker slijmerig, maar wie weet werkt het.

Ik kijk op de klok. Nog twintig minuten. Nu mag er weleens iemand komen. Ik loop gestrest heen en weer.

Puck belt voor de derde keer vanuit de kleedkamer.

'En?'

'Nog niemand,' zeg ik. 'Maar het is nog vroeg.'

Ik zeg het ook om mezelf gerust te stellen. Zo meteen komt er echt geen kip. Dan krijgt Sanne gelijk en bestaan we na de zomer niet meer. Wat is dit spannend!

Opeens zie ik een groepje fietsers de stoep op crossen. En dan nog meer fietsers. Waar ze ineens allemaal vandaan komen weet ik niet, maar het loopt vol.

'Zie je nou,' zegt de vrouw achter de kassa. 'Het komt helemaal goed. Deze twee hier hebben vrijkaartjes, Britt.'

Ik geef de twee feestcommissieleden een hand. 'Hi, ik ben Britt, de manager van Crazy Ontbijtkoek. Als jullie naar de bar gaan, krijg je een gratis drankje van ons.'

Terwijl ze hun jas ophangen bel ik gauw Puck. 'Er staat een mega rij.'

'Echt? Alleen maar bekenden zeker.'

'Nee, ik zie ook veel vreemden.'

Als ik ophang, zwaai ik naar een jongen van de jeugdtheaterschool.

Een paar jongens en meisjes komen naar me toe.

'Jij moet Britt zijn,' zegt een jongen. Hij laat me zijn vrijkaartje zien. Heel handig dat ik mijn foto bij de uitnodigingen heb gemaild.

Sanne komt er ook aan. Wat moet zij hier nou? Alsof ze zo'n fan is. Van mij had ze weg mogen blijven.

'Zit zij ook in de band?' vraagt de jongen.

'Nee,' zeg ik.

'Een fan dus.'

'Ja,' zeg ik maar. Wat moet ik anders? Ik kan toch moeilijk zeggen dat ze de band haat. Het liefst heeft ze dat het niks wordt met Crazy Ontbijtkoek. Dan heeft ze Noah weer terug. Ik kijk om me heen. Het is heel druk. Dit had ik echt nooit durven dromen. Hé, daar heb je Yvet, de zangeres van de Bitches. Wat een eer dat ze komt kijken. Ik stap meteen op haar af.

'Hi, ik ben Britt, de manager van Crazy Ontbijtkoek. Jij komt zeker naar Kiki kijken.'

'Ja,' zegt Yvet. 'Ik ben blij voor haar. Ik vond het vreselijk dat onze band uit elkaar ging. Maar ik gun het Kiki. Ze is zo goed!'

'Nou, jij zingt anders ook super,' zeg ik. 'Ga je weer een band zoeken?'

'Nee, dat vind ik niet zo professioneel. Ik wacht tot ik word gevraagd.'

Een paar meiden komen gillend op haar af. 'Yvet Stok! Mogen we een handtekening?'

Yvet graait in haar zak.

Ik geef haar een pen. 'Ik krijg hem zo wel terug,' zeg ik en ik loop de kleedkamer in.

Noah valt me om de hals. 'Heb je gezien hoe druk het is?'

'Ja, goed hè!' zeg ik. 'En Yvet Stok is er ook.'

'Gaaf!' zegt Kiki.

'Hoe is het met over-over-over-grootmoeder?' vraag ik aan Noah.

'Top!' Noah zingt een paar regels.

'Je klinkt weer als een nachtegaal,' zeg ik. 'Maar hou je nog even gedeisd, oké?'

'Waar is Dave?' vraagt Puck.

'Die heeft paardrijles,' zeg ik. 'Maar het geeft niet. Ik heb toch geen tijd voor hem. Ik ga weer even naar die jongens en meisjes van de feestcommissies.'

Als ik bij de bar kom, staat Sanne met twee jongens van het Montessori Lyceum te praten. Wat moet ze met hen? Ze doet net alsof ze bij de band hoort. Als ik langsloop, houdt ze ineens haar mond.

Iemand tikt op mijn schouder. Het is Yvet. 'Thanks,' zegt ze en ze geeft mijn pen terug. 'Het is lekker druk. Mooi, hoor.'

Toffe meid, denk ik. Hun band is uit elkaar en toch gunt ze ons succes. Daar kan Sanne nog wat van leren. Ik kijk nog even om. Ze staat nog steeds bij de jongens van de feestcommissie. Ik loop maar door voordat ik iets gemeens ga zeggen.

'Hoe gaat het?' vraagt Puck.

'Alles onder controle,' zeg ik. 'Ze zijn alle vijf gekomen. Alleen staat Sanne de hele tijd met de mensen van de feestcommissies te praten.'

'Ja, klopt!' zegt Noah. 'Sanne had al gezegd dat ze dat zou doen. Ze zou tegen iedereen over ons opscheppen.'

'Ik heb er super zin in,' zegt Kiki. 'We gaan lekker swingen vanavond.'

Ik kijk naar Noah. Ze staat bij Dennis. Ik heb haar nog nooit zo verliefd zien kijken. Maar gek genoeg gaat Dennis nog steeds nergens op in. Ik heb Noah beloofd een visje uit te gooien bij Dennis. Maar vanavond heb ik er geen tijd voor. Manager Britt moet nu voor de band zorgen. De zaal wordt onrustig. Het is tijd.

'Beginnen, jongens!' zeg ik.

Puck stuift met haar gitaar het podium op. De anderen gaan achter haar aan. Kiki komt als laatste op. Iedereen begint te juichen. Kiki is echt het succes van de band. Ze kennen haar natuurlijk allemaal van de Bitches.

Dan barsten ze los. Eerst spelen ze het huisnummer van Crazy Ontbijtkoek. Het knalt erin. De zaal swingt meteen. Iedereen kijkt verrast naar het podium als Noah begint te zingen. Ik ben nog even bang voor haar stem, maar het gaat super. 'Vet!' hoor ik om me heen. Ik kijk de zaal in. Yvet vindt het geweldig. Dat zie ik aan haar. Als ik haar aankijk, steekt ze haar duim op. Sanne hangt met een chagrijnig gezicht tegen de muur. Het valt haar vies tegen dat we zo'n succes hebben.

In de pauze komen twee jongens van het Breitner naar me toe.

'En?' vraag ik.

'Super,' zegt een van hen. 'We moeten jullie hebben voor ons schoolfeest. Het is over zes weken.'

'Op een zaterdagavond,' vult de andere jongen hem aan. 'Maar ik denk dat jullie dan al vol zitten.'

'Ik zal even moeten kijken,' lieg ik. Ik pak mijn tas en blader zogenaamd in mijn agenda. Weten zij veel dat er nog helemaal niks in onze agenda staat... 'Jullie hebben mazzel. We hebben die avond een afzegging.'

'Great!' roepen ze. De jongens geven elkaar een high five.

'Ik stuur jullie een contract,' zeg ik.

Ik wil doorlopen als een jongen en een meisje van het Cazimier me aanhouden. 'Wij boeken jullie, hoor. De precieze datum hoor je nog.'

De andere drie scholen zijn ook enthousiast, maar ze moeten er nog over vergaderen.

Ik storm de kleedkamer in. 'Ik heb al twee optredens gescoord.'

Iedereen begint te gillen.

'We gaan het helemaal maken!' roept Puck. Ze omhelst me. 'Jij bent echt een super manager.'

'Die andere scholen moeten nog even vergaderen. Maar waarschijnlijk komt daar ook nog wel iets uit,' zeg ik.

'Dan hebben we eindelijk wat in kas,' zegt Puck. 'Op naar onze cd, jongens!'

'Zo te horen doet onze over-over-over-grootmoeder het nog goed?' zeg ik tegen Noah.

'Die wel,' fluistert Noah. 'Maar het is zo moeilijk om de hele tijd bij Dennis in de buurt te zijn. Hij is niet normaal zo knap.'

'Het komt goed,' zeg ik. 'Ik denk dat hij zich nu een beetje rustig houdt. Eerst ons optreden. Je weet hoe fanatiek Dennis is met de band.'

De deur wordt opengegooid.

'Yvet!' roept Kiki.

'Wow!' zegt Yvet. 'Ik vond het geweldig! Echt goed, jongens. En jou vind ik helemaal top!' zegt ze tegen Puck.

'Dank je.' Puck bloost. Dat zie ik niet vaak bij haar.

'We gaan weer beginnen,' zeg ik.

Er klinkt luid gejuich als de bandleden weer opkomen. Puck telt zachtjes af en iedereen zet in. Het spettert van het podium af. Niemand kan meer stil blijven staan. Iedereen swingt mee.

Het optreden is nog niet voorbij als de jongens van het Breitner zich omdraaien en de zaal uit gaan. In de deuropening wenken ze dat ik moet komen.

'Sorry,' zegt een van de jongens. 'Je kunt ons doorkrassen. We doen het toch maar niet.'

'Waarom niet?' vraag ik verbaasd. 'Vinden jullie het toch niet swingend genoeg?'

'Jawel, maar ons schoolfeest is pas over zes weken.'

'Nou en?'

'Misschien zijn jullie dan al uit elkaar,' zegt hij. 'Dan zitten wij met een probleem. Dat kunnen we niet hebben.'

'Uit elkaar?' zeg ik. 'Hoe kom je daarbij? Daar hoef je echt niet bang voor te zijn.'

'Nou, we hoorden anders wel dat jullie flink wat troubles hebben. Ruzies en zo.'

'Waar heb je dat gehoord?'

'Dus het is wel zo,' zegt de andere jongen.

Ik staar ze met open mond aan. 'Dat zijn roddels,' zeg ik.

'Roddels komen nooit zomaar,' zegt de eerste jongen. 'Jammer trouwens, want jullie hebben wel de potentie om het te maken. Ga je mee?' zegt hij dan tegen de andere jongen.

Ze zijn nog maar net weg of de jongen en het meisje van het Cazimier komen er ook aan.

'We zien ervan af,' zegt het meisje. 'Jullie band is niet stabiel genoeg. Daar kunnen we niet van op aan. Jammer, want de muziek is goed. Maar een optreden van jullie krijgen we er nooit door. Ik weet nu al wat onze directeur zegt. Hij vindt het vast niet goed voor de naam van onze school. En we willen het ook niet verzwijgen, snap je.'

Ik weet echt niet wat ik hoor. Ik blijf even besluiteloos staan. Binnen hoor ik enthousiast gefluit. Het optreden is voorbij. Ik ben helemaal over de zeik. Er is er maar één die die roddels kan hebben verspreid en dat is Sanne. Waarom stond ze daar anders zo te smoezen?

Verslagen kom ik de kleedkamer in.

'Gefeliciteerd!' roept Puck.

Ik plof op een stoel neer. 'Ze denken allemaal dat we troubles hebben. Ik had twee toezeggingen. Ze hebben alle twee afgezegd.'

De goeie stemming is er meteen uit.

'Daar was ik al bang voor,' zegt Noah. 'Ze verwarren ons met de Bitches. Die zijn met ruzie uit elkaar gegaan. De bladen stonden er vol van. Dat komt door Kiki.'

'Ja, hallo,' zegt Kiki. 'Geef mij even lekker de schuld.'

'Zo bedoel ik het niet,' zegt Noah.

'Iedereen is nu opgefokt,' zeg ik. 'Het heeft geen zin om elkaar de schuld te geven.'

'Shit!' Puck trapt een kruk om. 'Balen zeg. Wanneer is die site eens af, dan kunnen we erop zetten dat alles oké is.'

'Er wordt hard aan gewerkt,' zegt Dennis.

'Britt, je moet een interviewtje regelen met de krant. Vertel ze nog maar eens dat Kiki wel van de Bitches is, maar dat wij Crazy Ontbijtkoek zijn.'

'Hoe komen ze er trouwens bij?' zegt Noah.

'Ik heb wel een idee,' zeg ik.

Noah kijkt me aan. 'Je denkt toch niet dat Sanne...' Ze maakt haar zin niet af.

'Ze stond wel de hele tijd bij de mensen van de feest-commissie,' zeg ik.

'Nou en? Mag ze dat.'

'Ze wilde ook niet dat je naar de repetitie ging,' ga ik verder.

'Daar heeft ze spijt van,' zegt Noah.

'Tsja,' zegt Puck. 'Maar ze is niet bepaald een fan van ons.'

6

Het is pas acht uur. Ik heb nog helemaal geen zin om op te staan. Ik voel me zo depri. De hele nacht spookte er van alles door mijn hoofd. Pap in Japan. De afzeggingen van gisteravond. Sanne...

Toen ik naar de wc moest, hoorde ik Lucas zachtjes huilen. Ik ben naar hem toe gegaan en toen lagen we samen huilend in zijn bed. Het leek weer op de tijd dat pap en mam altijd ruzie hadden. Dan kroop Lucas ook altijd bij mij in bed. Vannacht moest ik hem beloven dat ik er niks over tegen mam zou zeggen. Dat ben ik dus ook niet van plan. Dan wordt ze boos op pap en dat maakt het alleen maar nog erger.

Ik kijk op mijn laptop. Van de andere drie scholen heb ik nog geen bericht. Ze zeiden dat ze er nog over na moesten denken. Misschien is het wel een smoesje. Als mam iets in een winkel niet wil kopen, zegt ze dat ook altijd.

Ik ben een manager van niks. Ik heb helemaal niks bereikt met mijn actie. Ik wilde dat ik nog kon slapen. Maar het lukt niet. Er komen alleen maar nare gedachten in mijn hoofd. Ik kan beter opstaan en mijn rol gaan leren. Vanmiddag gaat de band repeteren en dan kan ik ook al niet oefenen. Ik had beloofd langs te komen, maar ik zie er als een berg tegen op. Ik zal maar zeggen dat ze beter een andere manager kunnen zoeken. Hier schiet Crazy Ontbijtkoek niks mee op. Ik hoopte nog zo dat ik ze naar de top zou helpen.

Ik wil onder de douche gaan als Lucas zijn kamer uit stormt. Hij schiet voor mijn neus de badkamer in en doet gauw de deur op slot.

'Doe open,' zeg ik. 'Ik was eerst.'

'Haha, nou ben ik eerst.'

'Ik heb haast, sukkel! Doe open.'

'Nee, ga weg, stomme zus.'

'Nou ben ik ineens een stomme zus zeker. En vannacht...'

'Hou je kop!' roept Lucas en hij gaat er keihard bovenuit zingen.

'Stom joch.'

Als ik een halfuur later de douche uit kom, blijf ik als versteend staan. Help! Die stem. Het is niet te geloven. Ik luister nog even, maar het is echt: Blok Geitensok zit beneden. Dat kan er ook nog wel bij. Het begint erop te lijken dat hij echt verkering met mam heeft. Anders zat hij toch nooit om kwart over acht op zondag in de kamer? Die eikel is blijven slapen. Mijn nightmare komt uit. Over een tijdje woont Blok Geitensok bij ons. De grootste loserleraar van school wordt mijn stiefvader. En wat moet ik dan? Ik kan nergens meer heen. Ik dacht steeds dat ik bij pap zou gaan wonen als mam echt verkering met Blok kreeg.

Ik wil wel ontbijten. Ik laat me door die eikel toch niet wegjagen? Zachtjes loop ik de trap af.

Beneden sta ik even met de deurkruk in mijn hand. Dan haal ik diep adem en open de deur. Nee! Blok Geitensok zit in paps oude badjas aan tafel. Hoe durft mam! Ik zie een paar harige benen onder de tafel uit steken. Mijn moeder gaat met een holbewoner. Gadver.

Ik zie dat Blok ongemakkelijk wordt als hij me ziet.

'Gerard ontbijt met ons,' zegt mam.

'Ik hoop niet dat je het erg vindt?' vraagt hij.

Wat een slijmbal. Ik heb zin om tegen hem te gillen. Hoezo erg? Ik vind het walgelijk. Donder op! Mijn vader is net naar de andere kant van de wereld verhuisd en Crazy Ontbijtkoek kan het sinds gisteravond wel shaken!

'Thee, schat?' vraagt mam.

'Nee.' Ik trek de deur dicht en ga naar de keuken. Shit! Al het brood is in de kamer. Nou kan ik door die stomme zak nog vieze muesli gaan eten ook.

Dat heb ik weer!

← AAAAKGHH!!

Ik heb een mega dip!
Holbewoner Geitensok zit met zijn harige poten aan het ontbijt. Eet smakelijk! En we hadden twee optredens, maar die zijn afgezegd. Er wordt gezegd dat we uit elkaar gaan. Maar dat is een roddel.
I hate gossip!! Wat een
%#%%@@#...!!
Manager-van-niks Britt

roddel
roddel
Roddel
Roddel roddel
roddel roddel
roddel roddel
roddel roddel

CRAZY ONTBIJTKOEK

Als je vandaag één woord mocht zeggen, welk woord was dat dan?

♡ Liefje...!

♣ Dan zeg ik: Eten...!! Of nog iets duidelijker: driegangenmenumetijstoeencolasvp ;-)

◇ %#%%@@#...!!

♠ Uhh... Volgende vraag!! Een dag niet praten? Dat kan ik echt niet volhouden!

☆ Chocol@@@@@...!!!

Uitslag:

Dit zegt je keuze over jou:

△ Jij bent in een romantische bui...!

♣ Smart! Jij overleeft 't allemaal wel.

◇ Jij hebt echt een MEGA offday!

♠ Jij moet veel mensen om je heen hebben, veel praten, en super veel lol maken!

☆ Jij bent totaal verslaafd aan chocolaaa...! Dit is een makkie voor jou: overleven op chocolademelk, chocolade- taart, chocolademousse, chocoladerepen...

Geplaatst door: Britt I Reacties (2)

Reactie van Kelly
Ha Britt,
Je moet gewoon een beetje aan die eikel wennen. En wat kan het jou trouwens schelen? Je gaat in een film spelen. En je hebt Dave! En wat Crazy Ontbijtkoek betreft: de muziek is super, dus dat komt vast goed!
Luv Kelly

Reactie van Reinoud
Sorry Kelly, ik wil je meteen uit de droom helpen: aan zo'n eikel in je huis wen je nooit. Ik spreek uit ervaring. Ontlopen. Sluit je op in je kamer, Britt. Balen van de band. Maar misschien zijn ze ook niet zo goed...? Er zijn zoveel bandjes die floppen.
Reinoud

Ja hallo, Reinoud! Wij zijn niet zomaar een bandje, hoor! En we floppen niet.
Britt

Geplaatst door: Britt I Reacties (1)

Reactie van Jasper
Ha Britty,
Weet je nog wat je zei toen je verkering kreeg met die Dave? Nu kan ik overal tegen. Ook tegen Blok Geitensok. Niet dus. Je hebt dus de verkeerde. Als je met mij gaat, interesseert Blok je niet meer. En de band ook niet.
En als ik vandaag maar één woord mocht zeggen, dan zei ik tegen jou: liefje...! En de rest van de dag zou ik je 1000 sms'jes sturen. Dan voelde je je 1000% happy. Dus... waar wacht je op?
Je perfecte antidip Jaspertje

http://www.dathebikweer.com

Ik dacht dat ik me niet zou kunnen concentreren op mijn rol, maar dat viel gelukkig mee. Ik ken de tekst al voor een groot deel uit mijn hoofd. Dat moet ook wel, want deze week beginnen de opnames. Ik wil eigenlijk *Girl with a Pearl Earring* nog een keer bekijken. Ik heb die film de laatste weken al vijf keer gezien, ook met Dave. Het is goed om in de sfeer te komen.

Maar dat gaat nu niet door met die loser beneden. Hoe moet ik de rest van de ochtend doorkomen? Lucas is ook niet te genieten. We hebben de hele tijd ruzie. En met dit humeur ga ik Dave niet bellen. Bovendien moet hij ook zijn rol leren.

Ik probeer aan fijne dingen te denken. Aan Dave, de film... Maar ik blijf met een baalgevoel zitten. Voor de zoveelste keer die ochtend kijk ik op mijn laptop. Ik weet eigenlijk niet waarom ik het doe. Er is toch niks.

Hé, ik heb een mailtje. De Blauwe Stoep, staat erboven. De Blauwe Stoep? Ik leest het mailtje. Wat? Ik val zowat van mijn stoel. Droom ik? Ik knijp in mijn arm, maar ik ben wakker. Wow!!!

Ik bel meteen Puck, maar ze is in gesprek. Ik klik mijn weblog aan.

HARTSVRIENDIN * Britts blog

Dat heb ik weer!

Hallo Reinoud,
Hoezo is onze band niet goed? Ik krijg net een mailtje van De Blauwe Stoep. Ja, je leest het goed. De Blauwe Stoep. Oftewel: de poptempel! Ze zijn gisteravond komen kijken. We mogen misschien in het voorprogramma van de Crush optreden!
Topmanager Britt

DE BLAUWE STOEP
CRUSH
v.p. CRAZY ONTBIJTKOEK

Geplaatst door: Britt | Reacties (0)

http://www.dathebikweer.com

Ik bel Puck opnieuw. Deze keer neemt ze wel op.

'Hi Britt, ik wilde je net bellen,' zegt ze. 'Niemand heeft zin om vanmiddag te repeteren na die blooper van gisteravond.'

'Zeg maar dat ze allemaal moeten komen,' zeg ik tri-

omfantelijk. 'Ik heb een big surprise voor Crazy Ontbijtkoek.'

'Britt!' Mam komt mijn kamer in. 'O, je bent al wakker.'
Het is halfzes, maar ik ben klaarwakker. Vandaag gaat
het gebeuren. Ik ga naar de set. Onze eerste draaidag
van de twintig.
'Ik maak een ontbijtje voor je,' zegt mam.
'Ik heb geen trek,' zeg ik. 'We ontbijten op de set.'
'Alleen een kopje thee en een beschuitje, dan heb je
toch iets in je maag. Jullie moeten een eind rijden.'
Na het douchen ga ik voor de spiegel staan. Wat zal ik
aantrekken? Eigenlijk maakt het niks uit. Straks krijg ik
toch mijn filmkleren aan. Ik pak mijn script om de
tekst nog even door te nemen. Nee, onzin. Ik ken de
tekst uit mijn hoofd. Ik hoef niet te stressen. Dave zei
het ook toen we repeteerden. Het hoeft nog niet per-
fect. Maria Peters, onze regisseur, gaat toch nog allerlei
aanwijzingen geven.
Zodra ik aangekleed ben, ga ik naar beneden.
Ik heb mijn thee nog maar half op als ik een auto hoor
voorrijden.
'Daar zijn ze!' Ik gris mijn script van tafel.
'Nou meis, succes.' Mam geeft me een zoen.
Een man stapt uit de auto. 'Ik ben Ed, je chauffeur.
Voorlopig zit je met mij opgescheept.'
Dave zit voorin. 'Hi,' zeg ik. Mam zwaait me uit, anders
had ik hem wel een kus gegeven.
We zijn halverwege de straat als Ed stopt. 'Je moeder,'
zegt hij.

Ze houdt mijn klompen omhoog. Wat stom. Ik haast me gauw de auto uit.

'Bedankt, mama!' Met een hoofd zo rood als een boei stap ik weer in.

Dave praat met Ed over voetbal. Dat hij dat kan! Ik kan echt nergens anders aan denken dan aan de film. Raar is dat, het voelt als een feestdag, maar tegelijk is het doodeng. Ik ben zo benieuwd naar de set. Het moet buiten zijn, want we gaan het stuk opnemen dat ik Rogier voor het eerst ontmoet. Ik ben een boerenmeisje dat op de boerderij werkt. Er is een lammetje ontsnapt. Ik ga het zoeken en vind het ergens verstrikt in de struiken. En dan komt Rogier langs, op zijn paard. Hij helpt me het lammetje te bevrijden. Dave kan al best goed paardrijden. Ik ben van de week mee geweest. Hij is zo sexy als hij op een paard zit.

We gaan nog meer scènes opnemen. Ook een met Melanie.

'Is het een mooie locatie?' vraagt Dave.

'Super mooi,' zegt Ed. 'Midden op het platteland. De crew is nu bezig om alles af te zetten. Wat wil je, het filmverhaal speelt zich af in de middeleeuwen. Er mogen natuurlijk geen auto's, brommers en fietsers langskomen.'

Ed heeft niks te veel gezegd. Het is inderdaad een romantische plek. 'Wow!' roep ik als we aan komen rijden. Aan het begin van een prachtig landweggetje staan twee jongens van de crew met koptelefoons op. De cameraploeg staat er ook al. En overal zijn filmlampen neergezet. Het lijken wel masten van een voetbalstadion. Ineens schiet ik in de stress. Het is zo echt!

Ed parkeert de auto voor een grote bus. 'Stappen jullie hier maar uit. Aan de ene kant van de bus is de make-up en aan de andere kant vind je de kleedruimte.'

Maria en een man komen meteen naar ons toe.

'Welkom op de set. Hebben jullie er zin in?' vraagt Maria.

'Hartstikke,' zeg ik.

'Dit is Gijs, onze opnameleider. Hij zorgt ervoor dat alles op de set op rolletjes loopt.'

'Hi,' zegt Gijs. 'We hebben een strak schema, gaan jullie je maar verkleden.'

Dave en ik lopen de bus in. Aan een rek hangen onze kleren. Dave heeft een prachtig pak. Dat moet ook wel, want Rogier is van adel. Ik vis mijn kleren ertussenuit en trek de lange, bruine rok aan. Ik voel me nog net zo lelijk als de eerste keer. Vooral omdat Dave me nu voor het eerst zo ziet. Ik trek de veters van het hes aan en bekijk me zelf kritisch in de spiegel.

'Is het niet te erg?' vraag ik.

'Hoe kom je daar nou bij? Je ziet er juist prachtig uit,' zegt Dave. 'Anders zou Rogier toch nooit op je vallen? Ik verlaat Elisabeth voor jou. En ik heb groot gelijk. Je bent ook een beauty. Ik wil je nooit meer kwijt.' Dave geeft me gauw een kus.

Ik denk aan Melanie, die Elisabeth speelt. Gisteravond zag ik haar nog op tv. Ze is echt onwijs goed. Ik snap niet waarom Maria haar de hoofdrol niet heeft gegeven. Zij is al een ster. En bovendien heeft ze al zoveel ervaring. Maar Maria vindt mij geschikter voor de rol van boerenmeisje. 'Jij bent zo lekker naturel,' zei ze toen ik het vroeg.

Nu komt het ergste, denk ik, als ik de klompen aantrek. Ik ben blij dat ik thuis heb geoefend, anders zou het nooit gaan. Nu kan ik er van alles op doen, zelfs rennen.

'Laten we naar de set gaan,' zegt Dave. 'Ik wil mijn paard zien.'

We lopen de bus uit. Wat ziet de set er goed uit! We zien een boerderij met een rieten dak en een waterpomp. Ze hebben er ook een oude houten kar neergezet. En een ronde put met een tinnen emmer erboven. Het is net een middeleeuws schilderij. Dan zie ik het lammetje. Het zit vast aan een struik. 'Ah, wat ben je lief.' Ik aai het beestje. 'Ik kom je straks bevrijden hoor, wees maar niet bang.'

Maria komt aanlopen met het script in haar hand. 'Voor de opnames gaan we repeteren.'

Ineens word ik onzeker. 'Zullen we het nu nog even snel oefenen?' vraag ik aan Dave als Maria wegloopt.

'Oké,' zegt Dave. 'Jij loopt naar je lammetje te zoeken en ik kom zogenaamd aanrijden.'

Hij gaat een eindje verderop staan.

Ik loop zoekend door het gras. Ineens hoor ik mekkeren. 'Daar ben je!' roep ik tegen het lammetje. Ik wil het bevrijden als ik voetstappen op het pad hoor. Ik kijk om. Nu moet ik doen alsof ik Rogier voor het eerst zie. Ik moet hem meteen lief vinden. Dat is niet zo moeilijk.

'Wat een lekker ding staat daar,' zegt Dave. 'Die moet ik

hebben.' Hij loopt naar me toe, zwiert me in het rond en kust me.

'Dat zeiden ze vast niet in de middeleeuwen,' giechel ik.

Maria komt eraan. Dave laat me meteen los.

'Ik hoor net dat we eerst gaan ontbijten, jongens.'

Vlak bij de catering staat een lange houten tafel. De jongens en meiden van het licht en het geluid zitten er al. Dave en ik lopen naar de catering.

'Daar hebben we Anne en Rogier,' zegt de baas van de catering. 'Een extra lekker broodje voor onze hoofdrolspelers.'

Dave en ik nemen plaats aan de tafel.

'Mooi zo,' zegt Maria. 'Daar komt Melanie ook aan. Keurig op tijd. Een goed begin, jongens.'

Vlak bij de lange tafel stopt een auto. Melanie stapt uit.

'Hi!' Ze zwaait naar de jongens van de crew. Madonna is er niks bij. Zou ik ook zo worden als ik beroemd ben? Een van de jongens springt op en haalt een broodje voor haar. Melanie kijkt zoekend rond.

'Dag, Britt. Ah, daar heb je mijn adellijke vriendje!' roept ze. Ze ploft tussen Dave en mij neer op de lange houten bank. Ze slaat een arm om Dave heen en geeft hem een zoen. 'Eigenlijk mag zij niet bij ons aan tafel zitten,' zegt ze naar mij wijzend. 'Vort, boerenmeid, wegwezen. Wat zeg jij ervan, darling?'

Dave moet lachen. Maar ik weet niet of ik het wel zo grappig vind.

'Dames en heren, we gaan repeteren!' roept Gijs.

Iedereen neemt zijn plek in.

'Britt, jij zoekt je lammetje.' Maria wijst waar ik moet gaan staan.

Ze checkt of alles op de set klopt. Dan gaat ze achter de monitor zitten.

'Stilte voor de repetitie!' roept Gijs. 'En actie!'

'Stop,' zegt Maria. 'Er hangt een lok voor je gezicht, Britt.'

Ik probeer de lok iets meer in het kapje te duwen, maar dat helpt niet. Mirna van de make-up komt aangesneld met een schaar.

'Ik knip er wel een klein stukje van af,' zegt ze. Nee hè, daar gaat mijn haar. Als het maar niet te veel is. Het valt mee. Ze houdt een klein plukje in haar hand.

'Stilte voor de repetitie en actie!'

Ik begin te lopen.

'Stop!' roept Maria. 'Je zoekt, hè Britt. Dat wil ik kunnen zien. Actie!'

Ik loop opnieuw. Als ik vlak bij de struiken ben, hoor ik het geluid van paardenhoeven. Ik kijk op. Rogier stopt. Ik kijk hem aan.

'Kan ik je ergens mee helpen?' vraagt hij.

'Stop! Dave niet te brutaal kijken, je bent verlegen.'

Weer actie. Vijf keer moeten we het overdoen. Na de vijfde keer kijk ik Maria aan. Hoe vaak zal het nog moeten?

'We gaan voor opname!' roept Gijs nadat hij met Maria heeft overlegd.

'Stilte op de set! Geluid?'

'Geluid is oké.'

'Camera?'

'Camera draait.'

Ik kan de spanning bijna niet aan. Het is zover, nu gaan we echt filmen.

'Slate 1, take 1!' roept de clapper loader. Hij klapt zijn filmbordje dicht.

'En... actie!' roept Gijs.

Ik ga weer lopen. Britt bestaat niet meer. Ik ben Anne, die haar lam kwijt is. Ik voel me niet meer onsexy op de klompen. Ze horen bij me, net als de kleren. Ik voel het door mijn hele lijf. Ik denk nergens meer aan, ook niet aan Melanie. Zelfs Dave bestaat niet. Alleen Rogier. Ik hoor de paardenhoeven. En kijk op.

'Kan ik iets voor je doen?'

'Ik eh... ik ben mijn lam kwijt.' Het voelt of het mijn eigen lam is.

'Stop!' roept Maria. Ze bekijkt de beelden. 'Gefeliciteerd! De scène staat erop. In één keer.'

7

Pleassse! Willen jullie allemaal voor me duimen? Ik heb straks een gesprek met de directeur van De Blauwe Stoep. Gelukkig gaat Puck mee. Maar ik moet wel mooi het woord voeren. Ik hoop zo dat hij een beetje cool is. En dat het doorgaat!!!!
Gestreste Manager Britt

Geplaatst door: Britt I Reacties (3)

Reactie van Fons
Hi Britt,
Puck speelt toch zo vet gitaar? Laat haar een stukje voor hem spelen. Dan ontdooit die gast vanzelf wel.
Fons

Reactie van Tamara
Ha Britt,
Succes! Fijn dat Puck mee- gaat. Ik zou het ook doodeng vinden. Ik hoop dat hij aardig is!
Kuzz, Tamara

Reinoud weer. Natuurlijk gaat het om het contract.
Maar het is heel wat om de directeur van De Blauwe
Stoep te spreken. De poptempel is the place to be.
Puck belt.

'Hi,' zeg ik. 'Ben je er klaar voor?'

'Mijn m-moeder...' stamelt Puck.

'Heeft ze weer gebruikt?' Dat zou afschuwelijk zijn.

'Nee, dat gelukkig niet. Maar ze wordt er toch misschien uit gekickt,' zegt Puck. 'Ze is ook zo stom geweest. Ze heeft vannacht een vriendin bij haar laten
slapen. Ze weet dat het tegen de regels is. Als ze weg
moet, komt ze op straat terecht. Dan gaat het helemaal
mis met haar. Ik moet erheen, Britt. Ik kan niet met je
mee.'

'Natuurlijk moet je erheen,' zeg ik. 'Kon ik maar met je
mee.'

'Nee,' zegt Puck. 'Die afspraak is super belangrijk. Als
het misgaat met mijn moeder, heb ik de band tenminste nog. Zorg dat je dat contract binnenhaalt, hè? Je
durft toch wel alleen?'

'Natuurlijk,' zeg ik stoer. Maar ik vind het doodeng.

Als Puck ophangt, ga ik voor de spiegel staan. Ik moet er wel een beetje wijs uitzien. Ik trek mijn zwarte shirt aan.

Lucas komt mijn kamer in gerend. 'Je hebt mijn T-shirt op de grond gegooid!' roept hij kwaad.

'Het lag in de badkamer op mijn kleren,' zeg ik.

'Stomme trut, nou zit er een vlek op.'

'O, wat erg. Dan stop je hem weer in de was.'

'Het is wél erg.' Lucas begint te huilen. Om een vlek op zijn T-shirt. Hij huilt de laatste tijd om alles.

'Je mist papa, hè?' zeg ik.

Lucas haalt zijn schouders op.

'Ik mis hem ook.' Ik trek mijn broertje op bed en sla een arm om hem heen.

'Ik moet zo naar De Blauwe Stoep. We mogen daar misschien optreden met de band.'

'O,' zegt Lucas.

Ik weet ook niet waarom ik het hem vertel. Ineens lijkt het ook niet zo belangrijk meer.

Lucas laat zich van het bed af glijden en gaat naar zijn eigen kamer.

'Britt, thee!' roept mam naar boven.

Ik reageer niet.

Ineens bedenk ik dat ik mam nog helemaal niet heb verteld dat ik naar De Blauwe Stoep ga.

Maar of ik weg moet of niet, ik ga echt niet beneden theedrinken. Zeker met die gare Blok erbij. Die eikel is steeds vaker bij ons. Tenminste, bij mam. Ik schaam me dood als het op school uitlekt. Ik heb het Dave nog niet eens durven vertellen.

Ik doe wat Reinoud heeft gezegd. Als Blok Geitensok er is, sluit ik me op in mijn kamer. Gelukkig ben ik nu heel veel weg voor de film. Dave is nu op de set. Ze gaan het stuk opnemen waarin zijn ouders Elisabeth voor hem uitnodigen.

Ik voel dat ik het best moeilijk vind dat hij met Melanie is. Maar het is onzin. Puck zei ook dat ik niet zo jaloers moet doen. Ik moet hem vertrouwen. We hebben het super samen. Hij geeft me niet voor niks een geluks-poppetje, toch?

Mam komt mijn kamer in met thee en chocola. 'Kijk eens, hier heeft Gerard ons op getrakteerd.'

'Ik hoef die chocola van Blok Geitensok niet. Ik ga trouwens zo weg.'

'Waarheen?'

'We krijgen misschien een contract van De Blauwe Stoep. Dan mogen we in het voorprogramma van Crush optreden.'

'En daar ga je nu heen?'

'Ja, ik heb een afspraak met...' Ik kijk op mijn mail. 'Chongmai. Ik kan het niet eens uitspreken. Het is ook zo'n rare naam, die onthoud ik nooit.'

'Je gaat toch niet alleen?'

'Jawel, ik ben toch de manager.'

'Britt, dat wil ik niet. Je kent die man helemaal niet. Ik laat mijn dochter van dertien toch niet naar een wild-vreemde man gaan. Bel maar af.'

'Doe niet zo raar! Ik ga niet afbellen. Weet je wel wat

dit voor de band betekent? Het gaat over De Blauwe Stoep, hoor!'

'Het kan me niet schelen, Britt. Ik verbied je te gaan.'

'Mama, dat kun je niet maken!'

'Helaas kan ik zelf niet met je mee,' zegt mam. 'Ik moet zo naar mijn werk.'

Alsof ik met mam naar De Blauwe Stoep zou gaan. Dit is echt te erg! Mam snapt ook nooit iets.

'Je kunt vragen of Gerard met je meegaat,' zegt mam.

Blok Geitensok? Ik schaam me dood voor die eikel. Ik wil niet eens naast hem op straat lopen, laat staan dat ik met hem naar De Blauwe Stoep ga.

'Als ik met Blok aankom, kan ik wel fluiten naar mijn contract,' zeg ik.

'Dan gaat het niet door,' zegt mam.

'Belachelijk. Van papa zou ik wel mogen.'

'Papa zit in Japan. Ik heb de verantwoording voor jullie, Britt.'

'O ja, daar merk ik niks van. Lucas is hartstikke verdrietig en jij zit alleen maar met Blok.'

'Lucas zou toch naar Ruben gaan?' zegt mam fronsend.

'Hij wil niet,' zeg ik. 'Hij is op zijn kamer.'

Mam gaat meteen naar hem toe.

Ik heb het gevoel dat ik gek aan het worden ben. Ik kan toch niet afbellen? Puck vergeeft het me nooit. Dan had ik nog beter met haar mee kunnen gaan. *Als het misgaat met mijn moeder, heb ik tenminste de band nog*, zei ze net. Ik kan het echt niet maken om niet te gaan.

Dat heb ik weer!

Hellup! Ik mag niet alleen naar De Blauwe Stoep van mijn moeder. Alsof ik een baby ben. Wat moet ik nou? Mijn moeder wil dat ik Blok Geitensok meeneem. Gestoord toch?

Geplaatst door: Britt | Reacties (1)

Reactie van Kelly
Hé Britt,
Mijn moeder zeurt ook altijd over dat soort dingen. Dan neem ik een vriendin mee.
Love, Kelly

http://www.dathebikweer.com

Yes! Ik bel meteen Noah.

'Noah, ik mag niet alleen naar De Blauwe Stoep. Puck kan niet en mijn moeder denkt dat ik daar meteen in mootjes wordt gehakt.'

'Vet, ik kom er meteen aan,' zegt Noah. 'Super stoer!'

Ik ren Lucas' kamer in. Mam zit met Lucas op bed.

'Noah wil mee.'

'Oké,' zegt mam. 'Als jullie met z'n tweetjes zijn, vind ik het een heel ander verhaal. En dan breng ik dit mannetje naar Ruben.' Ze geeft Lucas een kus op zijn hoofd.

Als we De Blauwe Stoep in gaan, valt onze mond open. We kennen het gebouw alleen vanbuiten. Een oude kerk, die felblauw is geschilderd. Maar hierbinnen is het helemaal vet. Als je door de hal bent, kom je meteen in een grote zaal. Aan het eind is een enorm groot podium. Het hoge plafond is bezaaid met mega spots, die op het podium zijn gericht. De muren zijn in felle kleuren geschilderd en de hoge ramen zijn van glas-in-lood.

Noah trekt me mee naar een balie. Een hippe vrouw met dreadlocks kijkt ons vragend aan.

'Wij zijn van Crazy Ontbijtkoek,' zeg ik.

'Met wie hebben jullie een afspraak?'

'Met meneer Chongmai.'

'O, Chòngmai. Ik bel dat jullie er zijn.'

Ze wijst naar een roze geschilderde bank waar we mogen gaan zitten.

Een paar minuten later komt er een man de trap af.

'Ik ben Britt, de manager van de band, en dit is Noah, onze zangeres,' zeg ik.

De directeur geeft ons een hand. 'We gaan naar mijn kamer. Deze kant op, graag.'

We lopen achter hem aan een brede, rijkversierde houten trap op.

'Zo,' zegt hij als we zijn kamer in gaan. 'Neem plaats. Dus jullie voelen er wel voor om in het voorprogramma van de Crush op te treden?'

'We vinden het een super eer,' zeg ik.

'Jullie weten dat jullie vier eigen songs moeten spelen?'

Vier? We hebben er maar twee, maar dat gaat hem niks aan. 'Geen probleem,' zeg ik stoer.

'De Crush heeft nogal wat op te houden,' zegt de man. 'Dus het voorprogramma moet ook niveau hebben.' Hij is nogal gehaast, merk ik.

'Dan moeten we het maar even over het honorarium hebben.'

Help! Wat moeten we vragen? Daar heb ik nog helemaal niet aan gedacht. Voor de schoolfeesten vragen we honderd euro. Maar dat vindt hij misschien veel te weinig. En laatst hebben we in Bliss gratis opgetreden. Ik kijk naar Noah, maar zo te zien weet zij het ook niet. Als ik nou eens driehonderd euro vraag? Of zou dat te veel zijn?

'Eh, hebt u zelf iets in gedachten?' vraag ik. Ik vind mezelf wel slim.

'Jullie zijn nog niet zo ervaren,' zegt hij. 'Toch? Jullie hebben maar een paar optredens gehad, dat las ik op jullie website. Ik geef jullie nu een soort kans, zo moet je het zien.'

Zie je wel, we krijgen zeker alleen gratis consumptiebonnen, net als in Bliss. Nog een geluk dat ik geen driehonderd heb gevraagd. Hij had me vast uitgelachen.

'Het klopt,' zeg ik. 'Zo heel veel ervaring hebben we nog niet.'

'Maar jullie hebben zeker uitstraling. Anders had ik jullie niet gevraagd. Wat denken jullie van vijfhonderd euro?'

Als we hem sprakeloos aanstaren, zegt hij: 'Dat is toch niet te weinig?'

'Eh, nee,' zeg ik gauw. 'Zoiets had ik ook in mijn hoofd.' Het is gelukt. Ik kan hem wel om de nek vallen.

'Maar nu hebben we nog één probleem,' zegt hij. 'Jullie zijn beiden te jong om de overeenkomst te ondertekenen. Daar is een meerderjarig persoon voor nodig.'

'Maar Britt is onze manager,' zegt Noah. 'Zij regelt altijd onze optredens.'

'Een afspraak met een feestcommissie of een buurthuis is iets heel anders,' zegt de directeur. 'Wij zijn een commerciële instelling. Er zal toch echt iemand moeten tekenen die meerderjarig is. Anders is het contract niet rechtsgeldig.'

'Misschien kan Pucks adoptiemoeder tekenen,' opper ik. 'We kunnen een nieuwe afspraak maken en dan breng ik haar mee.'

'Helaas, ik vertrek zo naar Londen om nieuwe muzikanten te contracteren. Het is erg spijtig voor jullie, maar dan moet ik daar maar een band vinden die in het voorprogramma past. Of jullie moeten kans zien het binnen nu en twintig minuten te regelen.'

Noah en ik kijken elkaar in paniek aan. Wat nu?

'Shit!' zeg ik als we even later de trap af gaan. 'Hoe gaan we dit nu voor elkaar krijgen?'

'We vragen gewoon de eerste de beste persoon die voorbijkomt,' zegt Noah. Zodra ze buiten is, houdt ze een vrouw aan. 'Mevrouw, mag ik u iets vragen?'

'Sorry, I'm in a hurry.'

'Meneer, zou u een handtekening voor ons onder een contract willen zetten?'

'Meisjes, ga toch spelen.' En de man is alweer weg.

'Zie je nou,' zegt Noah. 'Daar gaat ons contract. We hebben nog tien minuten. Hé, daar heb je Blok!' roept ze.

Nee hè, ik wil echt niet dat Blok ons contract tekent. Dan maar geen optreden.

Blok komt naar ons toe. 'Britt, wat is er aan de hand? Je ziet er zo geschrokken uit. Je moeder wilde dat ik even langsging. Ze vond het toch een beetje eng.'

Eikel, dat gaat je niks aan, denk ik. Loop door, man.

'We komen net bij de directeur van De Blauwe Stoep vandaan,' begint Noah uit te leggen.

Hou op, denk ik. Maar Noah vertelt verder.

'Dus jullie wiskundeleraar komt weer als geroepen,' zegt Blok als Noah klaar is met haar verhaal. 'Moet ik jullie dan maar uit de brand helpen?'

Hoor hem nou! Wat denkt hij wel! Zeker met die belachelijke kleren De Blauwe Stoep in.

'Super!' zegt Noah. 'Britt, we zijn gered.'

Hoezo gered? Dit kan Noah toch niet menen?

'Ik bespeur nog enige twijfels bij Britt. Ik wil me niet opdringen,' zegt Blok koeltjes. 'Succes dan maar, dames.' En dan loopt hij weg.

'Wat doe je nou stom?' zegt Noah kwaad. 'Dit is onze enige kans!'

'Ik wil niet dat die loser iets met onze band te maken heeft,' zeg ik bits.

'Wat maakt het jou nou uit wie dat contract tekent? We mogen optreden, weet je nog? We krijgen er vijfhonderd euro voor. Het is rot dat hij met je moeder gaat, maar dat heeft hier niks mee te maken, Britt.'

Ineens besef ik hoe stom ik ben. Ik heb het verpest, alleen maar omdat ik pissed ben op Blok.

'Hoe lang hebben we nog?' vraag ik.

'Vijf minuten,' zegt Noah.

Ik spring op mijn fiets en race achter Blok aan.

Daar is hij! Hijgend cross ik de stoep op. 'Meneer Blok. zou u toch willen tekenen?'

Blok schudt zijn hoofd. 'Britt, toch. Altijd dat impulsieve gedrag van jou. Wanneer leer je eens rustig na te denken? Maar goed, ik zal jullie redden.'

Laat maar zitten, denk ik boos. Maar ik zeg het niet. Ik houd me in. Noah heeft gelijk: het gaat om de band.

8

Dat heb ik weer!

Wat een AFgang..!!
Geitensok moest gisteren mee naar De Blauwe Stoep om het contract te ondertekenen.
Kon niet anders. Ik ben minderjarig. Die loser
hoefde alleen maar een handtekening te zetten. Wat denk je? Ik moest het contract hardop
van hem voorlezen...!! Waar die directeur bij
was! Grrrr... En Blok verbeterde me steeds als
ik het fout voorlas. En één keer moest ik de zin
opnieuw doen omdat ik niet op toon las. En
toen zei hij nog dat ik op de leestekens moest
letten. En dat allemaal in De Blauwe Stoep! Ik
schaamde me dood! *shame shame shame*
Britt

Geplaatst door: Britt I Reacties (2)

Reactie van Kelly
Hi Britt,
Wat een weirdo! Maar wat maakt het jou verder uit? Je hebt je contract!!
Gefeliciteerd!
Kel

Reactie van Fons
Hi Britt,
Schreef hij met een pen? Of kwamen er een ganzenveer en een inktpotje uit zijn geitenwollen tas?
Wel lachen, hoor! Congratssss!
Fons

Geen ganzenveer, helaas. Zijn vulpen kwam wel uit een beschimmeld etuitje uit de oertijd. Hij schreef heeeeeel langzaam in krulletters: Gerardus Blok.
Als ik kinderen krijg ga ik ze dus NOOIT Gerardus noemen.

Hoe zou jij je kinderen NOOIT noemen?

♡ Nooit naar een beroemd iemand: dus geen Paris, Britney of Shakira.

♣ Nooit naar die gemene bitchie girl uit mijn klas.

♢ Nooit naar mezelf, dus niet Britt Junior of zo. ;-)

♠ Never Adolf. Logisch toch?

☆ Geen gewone naam, maar ook weer niet zo'n heel aparte naam die niemand kan uitspreken.

Uitslag:

♢ Da's jammer! Dus je noemt je kinderen niet naar celebrity Britt? Of naar BN'ers Puck en Noah? ;-)

♠ Right! Mocht ze willen, bitchie girl.

♢ Oké, jouw kinderen krijgen gewoon een eigen naam!

♣ Logisch! Dus ook geen Osama Bin L., geen Mao... Dan klinkt Gerardus Blok [:] opeens een stuk minder erg...

☆ Wat dacht je van Britt? ;-)

Geplaatst door: Britt I Reacties (3)

'Wat fijn dat je moeder alleen een waarschuwing heeft gekregen,' zeg ik als ik Puck op het schoolplein zie. 'Ik was zo blij toen ik gisteravond je sms'je las.' Ik zeg het zachtjes, zodat niemand het kan horen.

'Pfff... ik kon die directeur wel om zijn nek vallen,' fluistert Puck. 'Echt hoor, als ze op straat was gezet, zou het helemaal misgaan.'

Verderop staan Noah en Sanne. Als Noah ons ziet, loopt ze ons tegemoet.

'Hé, super hè, van ons contract!' roept ze naar Puck.

'Ja, goed gedaan, meiden,' zegt Puck. 'Ik was zo blij toen ik jullie sms kreeg!'

'Zien jullie iets aan me?' roept Max als hij met Nick het schoolplein op fietst. Hij trekt zijn T-shirt over zijn hoofd en steekt zijn armen zegevierend in de lucht.

'Je hebt eindelijk na honderd jaar basketballen een doelpunt gescoord,' zegt Sanne.

'Je hebt voor het eerst gezoend,' lacht Puck.

'Je bent zonder nachtkus van je mama gaan slapen,' zeg ik.

'Nee, jongens,' zegt Nick. 'Ik zal jullie uit de droom helpen. Hier voor jullie staat de absolute winnaar van onze mega wedstrijd.'

'Die weddenschap over Blok?'

Max hoofd komt weer tevoorschijn. Hij knikt stralend.

'Nee!' roept Sanne. 'Heeft iemand gereageerd op zijn profiel?'

'Er is een wereldwonder gebeurd,' zegt Max. 'We hebben een reactie. Ik heb 'm voor jullie uitgeprint.'

Beste Gerard,

Ik heb je profiel gelezen en ik zou graag met je in contact komen. Net als jij ben ik op zoek naar een duurzame relatie.

Mijn naam is Christa.

Ik ben 38 jaar oud en werk als hoofdverpleegkundige.

Je kunt mij bereiken op Christa1971@hotmail.com.

Iedereen begint te juichen.

'Een verpleegkundige, beter kan niet. Dan kan ze op hem oefenen met prikken,' zegt Sanne.

'Of medicijnen op hem uittesten,' zegt Puck.

'Ze raadt hem al na vijf minuten aan euthanasie te plegen,' lacht Max. 'Ze heeft vast nog wel een middeltje.'

'Dat is verboden bij de wet,' zegt Evelien serieus. 'Euthanasie is strafbaar. Alleen als twee onafhankelijke artsen erachter staan mag het.'

'Voor Geitensok gelden die regels niet,' lacht Noah.

Ik moet ook lachen. Maar ik vind het ook raar. Een of

andere Christa wil in contact komen met de vriend van mijn moeder.

'Wat doen we hiermee?' vraagt Max.

'Terugschrijven dat hij al is voorzien,' zegt Puck. 'En zijn profiel meteen eraf halen. Linke soep, jongens.'

'Wel zonde,' zegt Nick.

'Dat vind ik ook,' zegt Max. 'Ik zou dat wereldwonder wel willen zien.'

'Anders ik wel,' zegt Nick. 'Volgens mij is het een buitenaards wezen. Maar we kunnen er niet met z'n tweeën op af, dat valt op. Dus jij mag. Jij hebt gewonnen.'

'Super, we schrijven haar vandaag nog terug. Waar vindt de date plaats?'

'Bij Carels,' zegt Puck. 'Op het terras, dan kun je haar zo zien zitten.'

'Maar hoe herkennen we haar?' vraagt Max. 'Ze heeft geen foto op haar profiel gezet.'

'Ze moet een roos op haar hoed doen,' zegt Noah.

'Op haar hoed?'

'Ja, iemand die op Blok valt, heeft vast wel een hoed,' zegt Puck.

'Ik wil haar ook zien,' zegt Sanne. 'We kunnen toch langslopen?'

'Mooi niet,' zegt Puck. 'We gaan aan het tafeltje naast haar zitten. En dan vraag ik hoe ze aan die mooie hoed komt.'

'We gaan met de hele klas,' zegt Noah. 'En iedereen stelt haar een vraag.'

'Ik doe er niet aan mee,' zegt Evelien.

Ik ben wel nieuwsgierig naar die vrouw, maar kan ik

dat wel doen? Ik kan toch geen vraag gaan stellen aan
de vrouw die met de vriend van mijn moeder wil?
'En jij, Britt?' vraagt Max. 'Wat ga jij vragen?'
'Ik weet nog niet of ik kom,' zeg ik.

Na schooltijd fietsen we met zijn drietjes naar het centrum. Puck racet voor Noah en mij uit, met haar armen in de lucht. Alsof ze als eerste door de finish gaat.
'Moet je die crazy nou zien,' zeg ik tegen Noah. Een
minuut later parkeren we onze fiets voor de H&M.
Noah houdt Puck zogenaamd een microfoon voor.
'Hoe is het om als eerste bij de H&M te zijn?'
'Geweldig!' Puck doet net of ze heel erg hijgt en veegt
het zweet van haar voorhoofd. 'Ik heb mijn eigen record verbroken, dat had ik niet durven dromen.'
'Dames en heren,' zegt Noah, 'hier zijn maanden van
keiharde trainingen aan vooraf gegaan. Maar nu heeft
ze het record verbroken. Onze enige echte motormuis
Puck.'
Puck buigt alsof ze voor een groot publiek staat.
Gelukkig is ze weer vrolijk. Als ik dat vergelijk met
toen ze zo wanhopig opbelde. Ik kan altijd aan Puck
merken of er iets met haar moeder aan de hand is of
niet. Als het beter met haar moeder gaat, kan Puck de
hele wereld aan.
Het lijkt me ook zo moeilijk. Dat houd ik me elke keer
weer voor als ik verdrietig ben vanwege pap. Hij heeft
me gisteravond nog gebeld. Voor de zoveelste keer be-
dankte hij me voor mijn cadeautje. We hadden een
hartstikke fijn gesprek. Dat soort gesprekken heeft

Puck niet. Haar moeder is veel te depressief. Afkicken is niet niks. Het lijkt goed te gaan, maar voor hetzelfde geld grijpt ze weer naar de drugs en dan is het helemaal mis.

'Als ze dat gave T-shirt nog maar hebben,' zegt Noah.

'Als het er niet is, dan vraag ik geen date aan Dennis. Bijgeloof.'

'Wat nou bijgeloof,' zeg ik. 'Wanneer hou je eens op met die onzin?'

'Je hebt niks te vertellen, hoor Noah. Britt en ik zijn de baas,' zegt Puck. 'Vanmiddag moet je hem nog vragen. Hij is nu juist in een tophumeur, omdat het zo goed gaat met de band.'

'En als ik een blauwtje loop?' vraagt Noah onzeker.

'Jij loopt geen blauwtje,' zeg ik.

'Als het er nog maar is...' Noah rent de H&M in, regelrecht naar het rek met shirts. In haar haast botst ze nog tegen iemand op ook. Ze graait in de bak en gaat alle rekken langs. 'Ik zie het niet meer. Dat is een heel slecht voorteken.'

'Rustig nou,' zeg ik. Noah doet zo maf, iedereen kijkt naar haar.

Puck en ik doorzoeken ook de rekken, maar het is er echt niet meer.

'Hé,' zegt Puck. 'Wat vind je hiervan?' Ze houdt een knalgroen shirt omhoog met een super gave print erop.

Noah houdt het voor. 'Wow, dit shirt is helemaal vet.' Ze neemt het mee de kleedkamer in. We staan met zijn drieën in het hokje. Noah heeft niet eens genoeg ruimte om haar shirt uit te trekken.

Puck pakt het shirt uit haar handen. 'Kom maar, kleintje. Mama trekt je truitje wel uit. Doe je armpjes maar omhoog. Goed zo. En nu je shirt aan. Daar komt het, hoor. Mama doet het nu over je hoofd, niet schrikken.'

Die maffe kop van Noah, alsof ze echt een kleutertje is.

'Vet,' zeg ik als ze het shirt aanheeft. 'Dennis valt flauw als hij je zo ziet.'

'Gaaf hè,' zegt Noah. 'Maar wat kost-ie eigenlijk?' Ze kijkt op het kaartje. 'Shit! Dat ding is vijf euro duurder dan dat andere shirt.'

'Hij is ook vijf keer stoerder,' zegt Puck.

'Maar dat heb ik niet,' zegt Noah.

'Die vijf euro krijg je van mij,' zegt Puck.

'Heel lief, maar ik wil niet lenen. Ik heb geen geld om het terug te betalen.'

'Hoeft ook niet,' zegt Puck. 'Je krijgt het van me.'

'Doe niet zo gek,' zegt Noah. 'Dat is veel te veel.'

'Nou en?' zegt Puck. 'Ik trakteer, omdat ik iets te vieren heb. Een geheimpje.'

Gelukkig vraagt Noah niet door. 'Wat lief van je,' zegt ze alleen maar en ze geeft Puck een kus.

'Maar je moet wel vandaag een date aan Dennis vragen. Als je dat niet doet, moet ik mijn money terug.'

'Help!' roept Noah. 'Nu moet ik wel.'

De hele weg op de fiets is ze gestrest. Als we bij de garage komen, staat de fiets van Dennis er nog niet.

'Ik hoop dat hij niet komt,' zegt Noah.

'Dat hoop je helemaal niet,' zegt Puck. 'Je wilt zoenen met Dennis.'

'Sst...' Noah legt haar hand op Pucks mond. Maar Puck wurmt zich los. 'Dennis!' roept ze. 'Noah wil je kussen.'

Ik kijk op mijn mobieltje. Ik heb een sms'je van Dave. *Hi schatje, ik ben nog wel even bezig hier. Ik haal je straks op bij Crazy Ontbijtkoek. Kus.*

Het zal wel uitlopen op de set. Soms moet je een scène heel vaak overdoen. Dat had ik zelf laatst ook. Daar kun je heel desperate van worden. Arme Dave. Lief dat hij toch nog aan ons afspraakje denkt.

Is goed, sms ik terug.

Kiki komt er nu ook aan op haar bakfiets. Ik vind het zo'n super vondst. Hoe moet ze anders zo'n zwaar drumstel vervoeren?

John en Pim zijn er ook al. Alleen Dennis moet nog komen. Maar die is vaker iets later.

Kiki wenkt Puck. Als ik de garage in ga, zie ik hen buiten staan praten. Puck wordt knalrood. 'Noah!' roept ze als ze binnenkomt. 'Wil jij binnen even cola inschenken?'

'Graag.' Noah is allang blij dat ze iets te doen heeft. Puck wenkt me.

'Weet je wie we in de band kunnen krijgen?'

Voor ik iets kan zeggen, antwoordt Puck al.

'Yvet,' zegt ze. 'Ik hoor het net van Kiki. Ze vindt ons super.'

'Nou, heel fijn,' zeg ik. 'Maar dat kan dus niet. Wij hebben Noah.'

'Voor de band zou het wel great zijn,' zegt Puck. 'Yvet is mega populair.'

'Wat wil je nou?' zeg ik. 'Je wilt Noah er toch niet uitzetten?'

Als Puck geen antwoord geeft, zeg ik: 'Puck, dat meen je toch niet? Noah is onze vriendin!'

'Je hebt gelijk,' zegt Puck met een zucht. 'Het kan ook niet. Maar het is wel een eer.'

'Een super eer,' zeg ik.

Op dat moment komt Noah met de cola. Ze zet de glazen neer en bijt afwezig op haar nagels. Ze is duidelijk met haar gedachten bij Dennis.

Puck merkt het ook. 'Hij komt eraan!' sist ze en ze maakt zoengeluiden.

'Heb ik iets gemist?' vraagt Kiki.

'Laat Puck maar,' zeg ik. Kiki hoeft niet alles te weten.

Noah wordt knalrood als Dennis binnenkomt.

'Ik durf het niet meer,' fluistert ze. 'Ik vraag het een andere keer.'

'Dat scheelt je dan wel vijf euro,' lach ik. 'Vraag het nou maar.'

'Hallo, guys!' roept Dennis. 'Nog allemaal gefeliciteerd met ons mega contract.'

'Het is nog maar een beginnetje,' zegt Kiki.

'En we zullen er heel hard voor moeten werken,' zegt Puck. 'Twee nieuwe songs, dat is niet niks.'

'Zo is dat,' zegt John.

Dennis kruipt achter de laptop. Hij logt in en roept dan: 'Surprise!'

'Onze site!' roep ik verrast. 'Hij is af! Wat een toffe kleuren en coole letters! En die foto's zijn vet! Sinds wanneer is de site in de lucht?'

'Sinds gisteravond. Toen hebben we hem afgemaakt.'
'We?'
'Ja, ik heb hulp gehad van een paar computerfreaks.'
'Echt great!' zegt Puck. 'Die foto's van ons optreden in Bliss zijn ook super.'
'Ik ga zo bij Bliss langs,' zeg ik. 'Ik vraag of ze een link op hun site willen zetten. En bij De Blauwe Stoep probeer ik het ook.'
'Er moet nog meer op,' zegt Dennis. 'Kiki, ik zocht een foto van jou met je drumstel op je bakfiets.'
'Die is er!' zegt Kiki. 'Die stond op de site van de Bitches. Yvet moet hem hebben. Ik bel meteen even.' Kiki pakt haar mobiel en belt Yvet.
'Hi, Yvet. Weet jij waar die foto van mij met mijn bakfiets is gebleven? Crazy Ontbijtkoek is online en we willen die foto erop zetten.'
Terwijl Kiki naar Yvet luistert, gebaart Dennis naar Kiki.
Kiki knikt. 'Super,' zegt ze. 'Ik geef je Dennis even. Dan vertelt hij wel hoe je op onze site kunt komen.'
'Prima,' zegt Dennis. 'Noteer allemaal even het wachtwoord en de inlogcode. Dan kunnen jullie er ook in.' Hij leest ze op.
Als Dennis heeft opgehangen, zegt Puck: 'Op mijn kamer ligt nog een geinige foto van ons in de studio. Die kun je er ook op zetten. Hij ligt op mijn bureau. Je moet hem alleen even scannen.'
'Ik ga niet zomaar jouw kamer in, hoor,' zegt Dennis.
'Noah, loop jij even mee,' zegt Puck heel sneaky. 'Ik moet mijn gitaar stemmen.'

Wat een goeie van Puck, denk ik. Dennis heeft niks in de gaten en loopt samen met Noah naar boven.

'Als ze terugkomen, moeten we aan de bak,' zegt Puck. 'We moeten twee nieuwe songs hebben.'

'Ik heb al een song geschreven,' zegt Kiki. 'Ik ben zo benieuwd hoe jullie hem vinden.'

Ik denk aan Noah. Zal ze het al hebben gevraagd?

Ik zie het meteen als Noah terugkomt. Ze ziet er heel verdrietig uit.

'Een super foto,' zegt Dennis. 'Ik ga hem scannen en dan gaat-ie er meteen op.' Iedereen komt om hem heen staan.

'Gaaf!' wordt er geroepen. Alleen Noah zegt niets. Ze slaat haar ogen neer en gaat naar buiten. Ik ga haar achterna. Ze staat buiten tegen de garagemuur geleund. In haar ogen staan tranen.

'Hij wil me niet. Ik had het nooit moeten vragen. Ik wist het.' Ze veegt haar tranen weg.

Ik sla een arm om haar heen. 'Ik snap het niet,' zeg ik. 'Hij vindt je leuk, ik ben toch niet gek.'

'Bullshit, Britt. Hij wil me niet. Ik vroeg of hij mee naar de film wilde, maar hij had zogenaamd geen tijd. Ik, stommerd die ik ben, had nog niks door. Een andere keer misschien, vroeg ik. Nee, hij kon niet. Wat een afgang! Ik heb mezelf echt voor paal gezet.'

'Ah, wat rot voor je. Kom, we moeten weer naar binnen. Anders vragen ze zich af waar we blijven.'

'Ik weet niet of ik nog wel in de band wil,' zegt Noah. 'Zeker de hele tijd bij Dennis in de buurt. Dat kan ik niet.'

'Dat denk je nu,' sus ik. 'Het komt helemaal goed. Misschien overviel je hem. Hij is zo druk met de site. Ik ga wel met hem praten. Kom je mee?' Ik pak Noahs hand en trek haar zachtjes mee naar binnen.

Kiki heeft een super song geschreven. De hele garage swingt. Ik kijk naar Noah. Ze zingt minder goed dan anders. Maar dat is niet zo gek natuurlijk, na zo'n domper. Het komt wel goed als ik straks met Dennis heb gepraat. Puck merkt het vast ook wel dat Noah niet zo lekker gaat. Gelukkig zegt ze er niks over.

Als het nummer is afgelopen, gooit Kiki haar drumstok in de lucht. 'Wow! Het is zo mega vet dat we op het podium van De Blauwe Stoep komen te staan. Mag ik het contract eens zien? Het lijkt me zo gaaf!'

Ik haal het uit mijn tas.

'Ja, hoor,' zegt Dennis. 'Daar staat het, zwart op wit. Vijfhonderd euries voor ons.'

Noah pakt haar tas. 'Je belt me nog, hè?' fluistert ze naar me, met een hoofdknikje richting Dennis.

'Ja, doe ik. Komt goed,' fluister ik terug. 'Ciao!'

Ik wacht tot Dennis ook opstapt. Dan loop ik met hem mee naar buiten.

'Hé, Dennis,' zeg ik. 'Ik snap iets niet. Volgens mij vind jij Noah best leuk. Ik heb je zo vaak naar haar zien kijken.'

'Eerst wel,' zegt Dennis met een rood hoofd.

'Maar waarom nu dan niet meer? Ze wilde met je daten. En jij zei nee.'

'Ik ben te druk,' zegt Dennis.

'Smoesjes,' lach ik. 'Wat is er gebeurd? Heb je soms een vriendin? Zeg dat dan gewoon. Of ben je op Kiki?'

'Kiki? Wat moet Kiki nou met mij?' zegt Dennis verbaasd.

'Noah wil wel,' zeg ik.

'Ik wil geen meisje dat iedereen belazert.'

'Zo is Noah helemaal niet. Hoe kom je daarbij?'

'Je hoeft haar niet te verdedigen,' zegt Dennis.

'Maar het is zo. Noah is juist heel trouw.'

'Ja ja,' lacht Dennis. 'Ik heb heel andere verhalen over haar gehoord.'

'Van wie dan?'

'Dat doet er niet toe,' zegt Dennis. 'Ik wil niet met haar. Laat maar verder. Het zijn mijn zaken. Ik speel met haar in de band en dat is prima. Verder hoef ik niks met haar.'

Ik ben nog steeds sprakeloos als Dave eraan komt.

'Hi.' Ik geef hem een zoen. 'Hoe ging het op de set?'

'Het staat er super gaaf op,' zegt Dave. 'We waren in een paar uur klaar.'

'Uit je sms begreep ik dat het steeds over moest. Je was busy.'

'Niet met draaien,' zegt Dave. 'Toen we klaar waren, heeft Melanie me meegenomen naar Aalsmeer. Daar wordt haar soap opgenomen. Gaaf hoor, zo'n studio vol bekende acteurs. Ik heb ze nou allemaal in het echt gezien. Die engerd ook, die Remco speelt. Hij...'

Maar wat Dave nog meer zegt, hoor ik niet. *Je was met Melanie*, is het enige wat ik kan denken.

We fietsen naar Daves huis. Ik probeer zo gewoon mogelijk te doen. Ik wil niet dat Dave iets van mijn jaloezie merkt. Wat moet ik zeggen? Ik ben jaloers omdat je met Melanie mee was? Dat is toch crazy? Ik kan Dave toch niet gevangenhouden? Hij is met Melanie naar de studio gegaan, onze tegenspeler. Ik vind zelf ook dat hij dat mag, dat is het juist. Ik haat mezelf dat ik er zo'n punt van maak. Het komt doordat ik zo onzeker ben. Ik kan niet tegen Melanie op. Ze heeft alles: ze is knap, en is elke avond op de tv te zien. Met zo'n ster wil iedereen wel. Bij het verkeerslicht pakt Dave mijn hand en trekt me naar zich toe. 'Schoonheid.' Hij strijkt met zijn vinger over mijn neus. 'Ik heb je gemist op de set vandaag.'

'Echt?' Ik kijk hem aan. Hij meent het, ik zie het aan hem. Die blik. Nooit kijkt iemand zo lief naar me. Ik sla mijn armen om zijn hals en kus hem.

Er wordt achter ons gebeld als het licht op groen springt.

Dave en ik fietsen nu hand in hand verder.

'Wacht,' zeg ik als we langs Bliss komen. 'Ik moet even iets regelen.' Ik loop naar binnen en zie de baas van het buurthuis.

'Dag, Britt. Het was een succes, hè?' zegt hij.

Ik knik trots. 'We hebben nu een website. Mag er een link op jullie site?'

'Natuurlijk. www.crazyontbijtkoek.nl, klopt dat?'

'Helemaal.'

'Wordt geregeld.'

'Yes!' zeg ik als ik buiten kom. 'Bliss gaat een link naar onze website plaatsen.'

'Super!' zegt Dave.

'Ik probeer het ook bij De Blauwe Stoep. Of denk je dat ze dat niet doen?'

'Altijd proberen,' zegt hij. 'Zullen we meteen langsgaan?'

'Je bent een schat.'

Ik had het nooit durven dromen, maar er komt ook een link op de site van De Blauwe Stoep. En heel misschien ook bij Crush, omdat we in het voorprogramma optreden. Mijn middag kan niet meer stuk.

We zijn net op Daves kamer als Noah belt.

'En? Wat zei Dennis?' vraagt ze meteen.

'Ik ben nu bij Dave,' zeg ik. 'We moeten van Maria oefenen voor de film.'

'Heb je hem wel gesproken?'

'Nee, nog niet,' lieg ik. 'Het lukte niet. Hij was geen seconde alleen. Maar ik beloof je dat ik het gauw doe. Ik bel je nog, oké?' Ik voel me rot, maar ik wil het Noah nu niet zeggen. En zeker niet door de telefoon.

'Welke scène moeten we oefenen?' vraag ik aan Dave.

'Die waarin we 's avonds in het bos hebben afgesproken,' zegt Dave.

'Yes!' zeg ik. 'Ons eerste geheime afspraakje. Ik kom aanlopen en jij staat al bij de vijver,' zeg ik. 'Nog even spieken.' Ik pak het script. Ik weet precies hoe het gaat. Het boek heb ik intussen wel tien keer gelezen. En het scenario nog wel vaker. Ik weet het heus wel, maar toch is het super spannend.

'Onze eerste date,' zegt Dave.

'Dat zeiden ze niet in de middeleeuwen,' lach ik.

'Oké, beginnen. Even kijken. Het is nacht.' Dave trekt

de gordijnen dicht. 'Het bed is de vijver. Ik zit ernaast en staar in het water.' Hij gaat op de grond zitten. Ik ga zijn kamer uit. Op de gang bekijk ik nog even het script. Dan stap ik naar binnen. In het maanlicht zie ik iemand bij de vijver zitten.

'Rogier!' roep ik.

Dave springt op. 'Anne!' In een paar stappen staat hij voor me. Nu moet hij mijn hand pakken en me mee naar de vijver nemen. Maar Dave grijpt me vast, tilt me op en loopt kussend met me naar het bed.

'Je laat me in de vijver vallen,' grinnik ik als hij me zachtjes op bed legt.

'Sst... Anne. Ik wil je lippen proeven.' Hij drukt zijn mond op mijn lippen. Terwijl zijn tong zachtjes in mijn mond beweegt, gaat hij half op me liggen. Dan voel ik zijn hand op mijn borst. Ik verstijf een beetje. Het is de eerste keer dat Dave aan mijn borsten zit. Zijn hand beweegt zachtjes over mijn borst en ik begin te grinniken. Ik vind het wel fijn, maar het is ook spannend. Ik moet ervan giechelen.

'Wat een prachtige zeemeermin drijft er in deze vijver,' fluistert Dave. 'Die laat ik nooit meer gaan.' Zijn hand glijdt onder mijn T-shirt.

Op de trap klinken voetstappen. Dave springt op. Er wordt op de deur geklopt. Zijn moeder komt binnen. Ik spring op en trek gauw mijn T-shirt omlaag.

'Hi, Britt,' zegt ze verbaasd. 'Ik wist niet dat je hier was. Het was zo stil.' Ze kijkt naar de dichte gordijnen.

'We oefenen voor de film,' zegt Dave met een kop als vuur. 'Het is nacht.'

Zijn moeder lacht geheimzinnig en gaat weer naar beneden.
'Heel goed geoefend,' zeg ik als zijn moeder weg is.
'Jazeker,' zegt Dave. 'We zijn heel braaf geweest. Maria zei alleen dat we moesten oefenen. Ze zei niet wat.'

Als ik naar huis fiets, moet ik weer aan Noah denken. Ik wilde dat ze verkering met Dennis kreeg. Dan waren we alle twee happy. Misschien komt het ook door mijn schuldgevoel, omdat zij eerst met Dave ging. Maar ze past ook gewoon zo goed bij Dennis. Dat vindt Puck ook. Veel beter dan bij Dave. Maar Dennis zei dat hij roddels over haar had gehoord. Maar wat voor roddels? En wie doet nou zoiets? Sanne?
Thuis kruip ik meteen achter mijn laptop.

HARTSVRIENDIN * Britts blog

Dat heb ik weer!

De Valse Gossip Queen is weer bezig. Ik vertrouw S@nn* voor geen meter!
Eerst in Bliss tegen de feestcommissies. En nu weer tegen Dennis. Noah zou ontrouw zijn. Impossible. Maar wat ik niet begrijp: waarom doet ze dit? Ze wil Noah voor zichzelf, for sure. Of wil ze Dennis?? Daar heb ik nooit zo op gelet...
Detective Britt

Geplaatst door: Britt | Reacties (2)

Reactie van Reinoud
Hi Britt,
Probeer bewijs te leveren!!
Succes, Reinoud

Reactie van Jasper
Hi Brittje,
Dat komt goed uit! We gaan toch binnen-
kort daten? Dan kun je me alles vertellen
over Gossip Queen. Waar ze woont en zo.
Dan zorg ik voor bewijs. Ik doe alles voor
mijn Brittje.
Jasper, je privédetective.

http://www.dathebikweer.com

Hoezo, we gaan binnenkort daten? Engerd! We hebben
helemaal geen date! Je kan lang wachten, Jasper. Die
date komt er never nooit!

9

Ik ben mijn huissleutel weer eens vergeten. Heel handig. Nu kan ik helemaal naar mama's winkel. Ik fiets zuchtend de winkelstraat in.

'Britt!' Het is Dennis. Ik denk meteen aan Noah. Ik heb haar nog steeds niet verteld dat hij niks met haar wil. Twee dagen heb ik het al kunnen uitstellen, maar ik zal het haar toch een keer moeten vertellen. Ik bedenk telkens dezelfde smoes: *'Ik heb hem nog niet alleen kunnen spreken.'*

'Ik heb een song geschreven,' zegt Dennis. 'Ik mail je de tekst vanavond.'

'Super.'

Terwijl ik met Dennis praat, zie ik ineens Noah een winkel uit komen. Shit, heeft ze ons gezien? Ik weet het niet zeker.

Ze stapt op haar fiets en rijdt weg.

'Weet je hoeveel bezoekers we al op onze site hebben?' zegt Dennis. 'Driehonderd. En we zijn nog maar een paar dagen in de lucht. Ik heb het uitgezocht. De meeste bezoekers komen via Bliss en De Blauwe Stoep. Echt goed dat die link is gelukt.'

We kletsen nog even en dan rijd ik verder.

Ik ben de straat nog niet uit of ik heb een sms'je van Noah.

Ik zag je praten! Zo spannend... Hopelijk goed bericht. Ik zit bij Mister X. Kom je ook zo? Kus, N.

Shit! Nu kan ik er niet meer onderuit. Ze moet het weten. Ik zie ertegen op, maar ik ga toch. Onderweg zie ik Ruben samen met Frankie lopen, een jongetje uit zijn klas. Lucas zou toch vandaag met Ruben meegaan? Ik rem af.

'Is Lucas er niet?' vraag ik aan Ruben.

'Nee,' zegt Ruben. 'Lucas wilde niet. Hij had buikpijn. Hij heeft steeds buikpijn.'

'Oké, bedankt.' Ik stap weer op en rijd verder. Er klopt niks van. Ik maak me zorgen om Lucas. Het is sinds pap weg is. Lucas heeft het er zo moeilijk mee. Ik mis pap ook nog elke dag. Ik dacht dat het zou wennen. Maar dat is niet zo.

Voor Mister X zie ik de fietsen van Noah en Puck staan. Binnen is het stampvol. Ik kijk om me heen of ik hen zie. Noah ziet me en zwaait naar me.

Ik wurm me door de mensenmassa heen en plof naast Noah op de bank neer. Barman Leo kijkt me aan.

'Een cola!' roep ik boven de muziek uit.

'Vertel nou! Wat zei Dennis?' vraagt Noah.

'Ik vind het klote voor je,' begin ik. 'Jij hoopt natuurlijk op goed nieuws, maar...'

'Geintje,' zegt Puck. 'Hou haar niet langer in spanning. Ze zit al een uur in de stress.'

'Was het maar een geintje.' Ik kijk Noah aan.

'Hij wil me dus niet,' zegt Noah.

'Sorry, Noah, maar hij vertelde...'

'Nee, hou maar op,' zegt Noah. 'Ik hoef het niet te horen. Daar word ik alleen maar somber van.'

'Luister nou,' zeg ik.

Noah steekt haar vingers in haar oren. 'Ik wil er niks meer over horen. Hij is dus niet verliefd op me. Ik moet hem uit mijn hoofd zetten. Waarom ben ik zo stom geweest om naar jullie te luisteren?' Er staan tranen in haar ogen. Ze staat op en stuift naar de wc. Ik wil achter haar aan gaan.

Puck pakt mijn hand. 'Vreemd,' zegt ze. 'Ik dacht echt dat hij haar leuk vond.'

'Hij vond haar ook leuk,' zeg ik. Ik wil Puck net vertellen waarom Dennis niet met Noah wil als Sanne naar binnen komt. Op datzelfde moment komt Noah terug van de wc. Ze heeft rode ogen.

'Dus jullie zijn hier,' zegt Sanne en ze ploft gestrest naast Noah neer. Ze heeft niets in de gaten. 'Ik dacht wel dat jullie hier waren. Ik heb iets ontdekt. Ik wilde het niet over de telefoon vertellen. Het is echt balen.'

'Lekker,' zegt Noah. 'Nog meer shit. Ik heb net een mega afknapper. Dit kan er ook nog wel bij.'

'Hebben jullie vandaag nog op Crazy Ontbijtkoek gekeken?'

'Ik hoorde net van Dennis dat we al driehonderd bezoekers hebben,' zeg ik.

'Nu dus driehonderdéén,' zegt Sanne. 'Die ene heeft het op jou gemunt, Noah. Kom mee, ik zal jullie wat laten zien.'

Sanne loopt naar de laptop achter in het café. Ze duwt een meisje weg dat aan het surfen is. 'Dit is dringend. Ga jij maar even buitenspelen.' Ze klikt onze site aan.
'Ik schrok me net echt te pletter,' zegt ze.
'Hebben jullie een date, dames?' lacht Leo, die met een vol dienblad langsloopt.
'Was het maar zo,' zegt Sanne.
We buigen ons dichter naar het scherm en lezen wat er staat.

De zangeres van Crazy Ontbijtkoek is eindelijk ontmaskerd. Ze zingt niet zelf.
Gitar Girl

'Hier, nog zo'n bericht,' zegt Sanne en ze scrolt naar beneden.

De zogenaamd veelbelovende Noah Buiten van Crazy Ontbijtkoek is...
FAKE. Ze playbackt.
Swinging Sax

'Wat?' Denken ze dat ik niet zelf zing?!' Noah ziet krijt-wit.
'Shit!' zegt Puck. 'Wie doet zoiets? Deze antireclame kunnen we nu echt niet gebruiken. Hier moeten we iets aan doen voordat het uit de hand loopt.'
Ik kijk naar Sanne. Ik vertrouw haar niet. Ze heeft dit zelf op de site gezet. Dat kan niet anders. Hoe komt het dat niemand het nog heeft gezien? Noah heeft vast weleens ingelogd waar ze bij zat. En toen had ze na-

tuurlijk het wachtwoord gezien. Sanne heeft er belang bij. Ze wil dat Noah uit de band stapt.

'Is er iets?' Sanne kijkt me aan.

Maar ik zeg niks. Ik heb geen enkel bewijs en ik kan haar niet zomaar beschuldigen.

Nog geen tien minuten later komen Kiki en Dennis Mister X binnen. Puck heeft ze meteen gealarmeerd. Pim en John namen niet op.

'Dit is heel erg klote!' zegt Dennis. 'Een of andere gek is zich aan het uitleven op onze site. Ik zal kijken hoe ik dit soort rommel tegen kan gaan.'

'Zo iemand moeten ze pakken,' zegt Kiki. 'Ik wilde dat ik wist wie dit deed.'

'Ik ga het uitzoeken,' zegt Sanne. 'Daar moeten we achter zien te komen.'

'Dat is super moeilijk,' zegt Dennis. 'Je kunt wel achterhalen wie er heeft ingelogd, maar dat is een heel technisch verhaal. Daar kom je nooit zomaar achter.'

'Ik vraag of Thaisha me helpt,' zegt Sanne. 'Een super slimme meid bij mij in de straat. Ze weet alles van computers.'

'Thaisha?' zegt Kiki. 'Die Curaçaose beauty?'

'Waar ken je haar van?' vraagt Sanne verbaasd.

'Ja... Ik ken alle mooie meiden,' lacht Kiki verlegen.

'Het zou super zijn als jullie mij willen helpen,' zegt Dennis.

'Don't worry,' zegt Sanne, 'the smart beauties komen in actie!' Ze geeft Dennis een knipoog.

Ik krijg er een raar gevoel bij. Is ze nou aan het slijmen met Dennis? Ik weet niet of we op dit soort acties zitten te wachten.

Dat heb ik weer!

Nu ook al roddels op onze website.
Ik word er gek van dat ik geen bewijs heb! Wil
Gossip Queen Noah voor zichzelf hebben?
Of wil ze Noah weghouden bij Den-
nis? En waarom?
Wat nu???
Britt

Geplaatst door: Britt | Reacties (3)

Reactie van Reinoud
Hi Britt,
Laat haar in de val lopen. Dan heb je bewijs. Easy.
Zet 'm op!
Luv, Reinoud

Reactie van Tamara
Als het zo makkelijk is, waarom be-
denk jij dan geen val voor Britt?
Tamara

Reactie van Jasper
Britty,
Als je wilt, heb je vanavond al bewijs, je hoeft me maar te bel-
len...
Ik koop vast ringetjes om onze liefde te bezegelen.
Wil je goud of zilver?
Jasper, die naar je verlangt... <3 <3 <3

Grrr... maar wat Reinoud zegt, is niet zo gek. Ik moet
een val bedenken voor Sanne.

De volgende dag open ik mijn e-mailaccount.

Een berichtje van pap.

Dag meisje van me,

Even een paar foto's van ons huis. Is het geen sprookje?

Ik zie pap en Yahima voor hun nieuwe huis staan. Ik vind het helemaal geen sprookje om pap voor zijn huis in Japan te zien. Eerder een nachtmerrie. Ik zie ook het huis vanbinnen. De woonkamer kijkt uit op een Japanse tuin. In een klein kamertje staan pap en Yahima. Pap wijst op Yahima's buik. Dat wordt dus de babykamer. Ik zie paps stralende gezicht. Ik wil het niet zien.

Hoe kan hij zo blij zijn zonder ons? Ineens moet ik huilen en ik klik de foto's weg.

Als jullie hier ook waren was het helemaal het paradijs, schrijft pap nog. *Ik mis mijn meisje wel.*

Ik mis pap ook. Het is dezelfde pijn als toen pap vertelde dat hij wilde scheiden. Ik klik de foto's aan en druk dan op delete. Zo, die foto's hoef ik nooit meer te zien. Ik ga naar beneden en zet MTV aan.

'Heb jij ook zo'n gare mail van papa gehad?' vraagt Lucas.

'Hoezo gaar?'

'Ik vind zijn huis mega stom,' zegt Lucas boos. 'Ik ben blij dat ik niet mee ben gegaan. Dan moest ik in dat belachelijke huis wonen.'

'Ik vind het helemaal geen stom huis. Wat is er nou stom aan?'

'Alles!' roept Lucas. 'Jij vindt het zeker weer mooi. Jij vindt altijd alles goed van papa. Nou ik niet.'

'Omdat je zelf stom bent,' zeg ik. Ik kan er niet tegen

dat Lucas zo praat. Niet nu ik zelf verdrietig ben. 'Het kan je zeker niks schelen dat papa weg is,' zeg ik.

'Trut!' roept Lucas. 'Waarom ga je niet naar Japan? Je vindt het toch zo'n vet huis? Dan kun je er zelf in wonen.'

'Ja, dan ben ik tenminste van jou af!' roep ik. 'Stomme broer.'

'Jij bent zelf de stomste zus die er bestaat.' Lucas loopt woest de kamer uit. Ik hoor de voordeur met een klap dichtslaan.

Die is weg, denk ik. Opgeruimd staat netjes. Ik kan het niet uitstaan. Hij heeft het alleen maar over paps huis. Alsof het daarom gaat. Dat doet hij natuurlijk alleen maar omdat hij het erg vindt dat pap weg is. Opeens heb ik er spijt van dat ik zo lelijk tegen Lucas ben geweest.

Ik begin weer te huilen. Het komt door pap. Door alles. Ook door Dave, die met Melanie mee was.

Mijn mobieltje gaat.

'Hi,' zeg ik snotterend.

'Wat heb je?' vraagt Noah.

'Gewoon, ik kreeg net een mailtje van mijn vader. Met foto's van zijn huis. Ik wilde dat hij die rotfoto's niet had gestuurd. Ik heb ze gedeletet, dan hoef ik er nooit meer naar te kijken. Bah!'

'Dat had je niet moeten doen,' zegt Noah. 'Je moet juist naar die foto's kijken, Britt. Dan huil je maar. Nu verdring je het. Je vader woont in Japan. Je moet steeds naar die foto's kijken. Ik dacht al dat je het wegstopte.'

'Hoezo?'

'Je hebt het alleen maar over Lucas die zo zielig is. Maar jij bent ook verdrietig, Britt. Je hoeft je niet groot te houden. Ik merk heus wel hoe moeilijk het voor je is. Laatst wilde je ook niet langs je vaders atelier fietsen. We moesten helemaal om.'

'Nou zeg.' Ik raak nu helemaal in de war. 'Nu vind jij me dus ook stom.'

'Britt, hou op. Kom hierheen, dan gaan we onze testjes doen. Ik zet de chips al klaar, all right?'

Samen met Noah op bed testjes doen. Ik knap er meteen van op.

'Oké, ik kom eraan. Wil je me dan ook overhoren? Ik moet mijn rol leren.'

'Neem je script maar mee, dan ben ik Rogier. Ja, dan moeten we zoenen.'

'Crazy,' lach ik. 'Tot zo.'

HARTSVRIENDIN * Britts blog

Dat heb ik weer!

Noah vindt dat ik naar de foto's van paps huis moet kijken.
Maar ik word er super verdrietig van.
Het liefst wil ik ze nooit meer zien.
Britt

Geplaatst door: Britt | Reacties (3)

Reactie van Kelly
Hi Britt,
Noah heeft wel gelijk. Toen mijn verkering uit was, heb ik ook steeds naar Tom en zijn nieuwe vriendin gekeken. Ik jankte wat af, maar ineens was het over. Nu maakt het me niet meer uit als ik ze samen zie.
Take care, Kelly

Reactie van Reinoud
Dat vind ik dus onzin! Niet naar die foto's kijken. Lekker iets leuks gaan doen. Ga maar feesten, daar heb je meer aan.
Bye! Reinoud

Reactie van Jasper
Britty,
Wel naar de foto's kijken, maar niet alleen natuurlijk. Samen met mij. Ik kus je net zolang tot het over is.
Luister nou eens naar je Jaspertje!!

Gadver! Voor hij nog meer onzin krabbelt, log ik uit.

Op de fiets denk ik aan Noahs woorden. Misschien heeft ze wel gelijk. Misschien stop ik het verdriet over paps vertrek weg. Dat komt ook omdat Lucas zo verdrietig is. Ik denk telkens dat ik de sterkste moet zijn, omdat ik zijn oudere zus ben. Ik heb paps atelier niet eens meer gezien, omdat ik bang ben dat ik het niet aankan. Maar misschien is het wel goed om erlangs te rijden. Ik ben bijna bij paps oude straat. Hoe zal het eruitzien? Zal er al een ander in het atelier wonen? Bij het kruispunt aarzel ik. Het hoeft nu toch niet per se? Waarom ga ik niet een andere keer? Samen met Puck, dan is het minder erg. Of ben ik nu laf? Moet je Puck zien. Zij moet elke keer naar die trieste kliniek als ze haar moeder wil zien. Vandaag ook weer. Alsof daar geen moed voor nodig is. Hoe vaak zit ze niet huilend in de trein terug, of heeft ze er nachtmerries van. Maar ze gaat wel. Ik sla rechts af paps straat in. Ik krijg een raar, bang gevoel. In deze straat woonde pap. Daardoor was het ook een beetje mijn straat. Maar dat gevoel is er niet meer. De straat voelt veel minder vertrouwd, alsof ik op visite kom. Mijn stuur gaat heen en weer. Ik tril. Ik voel mijn hart bonzen. Nu zijn we er bijna.

Vlak bij paps atelier gaat er een schok door me heen. Ik sta meteen stil. Op het stoepje voor paps atelier zit Lucas, met zijn hoofd in zijn handen.

'Lucas!' Ik smijt mijn fiets neer en ren naar hem toe. Lucas kijkt op. Hij ziet er verdrietig uit. Zijn ogen zijn rood. Ik sla een arm om mijn broertje heen. En dan moet ik ook huilen. Om pap, om Lucas, om alles. Ik trek hem naar me toe. 'Ik vind het gemeen van papa,' snikt Lucas.

'Ik ook,' snik ik. 'Hij had hier moeten blijven. En niet in dat stomme huis in Japan,' zeg ik. 'Papa woont in het stomste huis van de wereld.'

Noah en ik zitten met een zak chips tussen ons in op bed. Noah graait in de zak. Ik heb nog niet één chippie genomen. Ik heb nooit trek als ik verdrietig ben. Noah juist wel. Als zij zich rot voelt, gaat ze snoepen. Puck ook. Toen het zo slecht met haar moeder ging, snaaide ze een hele zak drop achter elkaar leeg.

'Het gaat alweer beter, hè?' zegt Noah.

Ik knik. 'Sorry dat ik zo overstuur was, maar het was

gewoon te erg zoals Lucas daar zat, helemaal in z'n eentje.'

'Nu niet meer over praten,' sust Noah. 'Je bent net rustig. Mond open.' Ze stopt er een chippie in. 'Lucas is nu bij Ruben. Die is het alweer vergeten. Jij moet het nu ook vergeten. Vertel maar iets leuks. Iets waar je vrolijk van wordt. Je hebt genoeg fijne dingen. De set bijvoorbeeld. Hoe gaat het met de film?'

'Super!' zeg ik. 'Het wordt hartstikke gaaf. Ik heb op de monitor al wat beelden gezien. Het is zo spannend.'

'Is het niet mega gaaf om met zo'n beroemdheid als Melanie te spelen? Hoe is dat?'

'Gaat wel, hoor.'

'Hoezo, gaat wel? Mag je haar niet?'

'Jawel hoor,' zeg ik onverschillig.

'Britt, is er soms iets met die Melanie?' Noah kijkt me onderzoekend aan.

Ik weet niet of ik het Noah wel moet vertellen.

'Mag Melanie jou soms niet?' dringt Noah aan.

'Ze zegt nooit zoveel tegen me,' zeg ik. 'Ze praat meer met Dave.' Ik voel dat ik een kleur krijg.

'Alleen praten?'

'Hè Noah, ik kan het net zo goed vertellen. Jij merkt toch altijd alles. Ze doet wel heel erg aardig tegen Dave. Daar baal ik gewoon van.'

'Wat kan het jou schelen hoe ze doet? Als Dave er maar niet op ingaat. Daar gaat het toch om?'

'Hm,' zeg ik. 'Zullen we een testje doen?'

'Britt, niet gauw over iets anders beginnen. Dave gaat er dus wel op in.'

'Niet echt,' zeg ik. 'Hij is alleen met haar naar de studio geweest.'

'Nee hè!' Noah springt van het bed en loopt door haar kamer heen en weer. 'Daar gaan we weer!'

'Wat bedoel je?'

'Nee eh... niks. Sorry, ik heb niks gezegd.'

'Je vindt het dus raar.'

'Ik weet het niet,' zegt Noah. 'Het komt door wat Dave mij heeft aangedaan. Hij heeft mij ook bedrogen. Daarom reageer ik zo fel.'

'Denk je dat hij nu ook iets begint met Melanie net als met mij toen?'

Noah zucht. 'Je weet hoe ik over Dave denk. Hij is een mooiboy.'

Ik kijk naar Noah, die voor de cd-speler zit. Zij denkt dus ook dat Dave iets met Melanie heeft. Waarom zou hij anders de hele middag met haar mee zijn gegaan? Met mij ging het toch ook zo? Hij gaf me zogenaamd bijles en toen begon hij me te zoenen. Ik voel me meteen weer gestrest. 'We houden erover op,' zeg ik.

'Oké,' zegt Noah. 'Een testje dan maar?'

'Ja hoor, daar knap ik van op, nou goed. Een heel vrolijk testje. Je vriendje gaat de hele middag met een andere chick op stap. Wat doe je?

Hartje: Je vindt dat het moet kunnen.

Klaver: Je vertrouwt het niet en wordt kwaad.

Ruitje: Je vindt het een player en dumpt hem.

Schoppen: Je weet zeker dat je hem kunt vertrouwen.

Wat kies jij?'

'Wil je het echt weten?' vraagt Noah. 'Ik kies voor ruitje.'

Ja, dat had ik kunnen weten van Noah. Ze heeft Dave ook meteen gedumpt toen hij met mij had gezoend. En mij had ze ook meteen gedumpt trouwens. Wat was dat erg! Na al die jaren was ik mijn beste vriendin kwijt door die stomme actie van mij. Gelukkig is het toch nog goed gekomen.

'Wat kies jij?' vraagt Noah.

Help! Wat moet ik zeggen? Ik wil Dave niet dumpen. Ik ben veel te verliefd op hem.

'Nou?' vraagt Noah.

Gelukkig gaat mijn mobieltje. Het is Puck. Ze wil natuurlijk vertellen hoe het bij haar moeder was. 'Ik ben bij Noah,' zeg ik gauw.

Noah grist mijn mobieltje uit mijn handen.

'Hi Puck. We hebben een testje gemaakt.' Noah zet mijn mobieltje op de speaker en leest het testje voor.

'Heel duidelijk,' zegt Puck. 'Ik ga voor hartje. Een beetje vrijheid, girls. Je vriendje mag toch nog wel met een ander optrekken?'

Ik kan haar wel omhelzen. Ik hoef Dave dus niet te dumpen. Puck heeft helemaal gelijk. En Melanie is niet eens een vreemde chick. Ze is van de cast.

'Dus je weet zeker dat je voor hartje gaat?' vraagt Noah.

'Ja,' zegt Puck. 'Tenzij die boy al eerder een grap heeft uitgehaald. Dan wordt het ruitje natuurlijk. Ik ben niet gek.'

'Ik heb ook ruitje,' zegt Noah.

'En wat heeft Britt?' vraagt Puck. 'Britt? Wat kies je?'

'Weet ik het,' zeg ik. 'Ik moet naar huis. Ciao!' En ik ga weg.

Op de fiets terug naar huis krijg ik een sms'je van Dave.

Wow! Morgen de hele dag samen op de set. I love you!

Zie je wel, hij heeft niks voor me te verbergen. Als hij iets met Melanie had, zou hij echt niet zo blij zijn. Melanie is er morgen ook. Dave zei eerder dat hij het juist moeilijk vond als we alle drie bij elkaar zijn. Ik hoef het echt niet uit te maken. Dave is geen player. Ik moet dat gedoe met Melanie uit mijn hoofd zetten. Dave vindt haar gewoon aardig, meer niet. Ik praat toch ook weleens na met een van de boys van de band? Dan ben ik toch ook niet meteen verliefd? Ik zie al dat Dave het dan zou uitmaken. Ik zou woedend zijn, omdat hij me niet vertrouwde. Ik moet Dave ook vertrouwen. Ik stuur een sms'je naar Noah. *Ik ga voor hartje.*

Ik voel me zo happy. Dat één sms'je van Dave zoveel verschil kan maken. Als ik thuiskom, ga ik meteen naar mijn site en maak een testje. Ik weet precies meteen welk antwoord ik zelf zou hebben gekozen: ruitje.

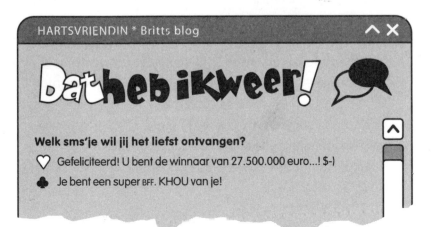

HARTSVRIENDIN * Britts blog ∧ ✕

Dat heb ik weer!

Welk sms'je wil jij het liefst ontvangen?

♡ Gefeliciteerd! U bent de winnaar van 27.500.000 euro...! $-)

♣ Je bent een super BFF. KHOU van je!

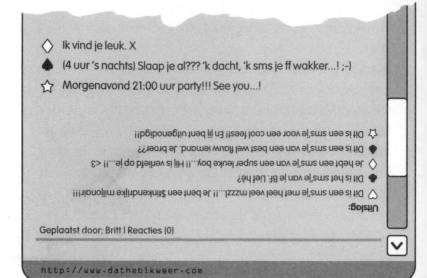

Ik zie er ineens niet meer tegen op om morgen met Dave en Melanie op de set te zijn. Ik heb er zelfs zin in en ga er morgen gewoon het beste van maken. Ik voel me weer helemaal happy. Ik bel Puck. 'Hi, hoe was het?'

'De verpleegkundige zei dat, als mijn moeder een jaar clean is, het goed komt.'

'O Puck, wat zou dat super zijn.'

'Hi, mama!' roep ik als ik later beneden kom.

'Verdomme!' hoor ik uit de keuken. 'Ik heb geen water bij de aardappels gedaan.' Mam rukt de pan van het vuur en houdt hem onder de kraan. Er hangt een aangebrande lucht in de keuken.

'Haha,' zeg ik. 'Dat komt goed uit. Dan gaan we lekker bij de Thai eten.'

'Nee Britt, niet vandaag, daar staat mijn hoofd niet naar.'

Ik kijk naar mam. Ze ziet er gestrest uit. Zou het uit zijn met Geitensok? Ik hoop het.

'Ik kom bij meester Jan vandaan,' zegt mam.

'Ik wist niet dat je oudergesprek had.'

'Er stond ook niks gepland. Meester Jan belde me op. Het gaat niet goed met Lucas. Je vader wordt bedankt. Hij heeft dat kind zomaar in de steek gelaten. Dan heb je toch geen hart.'

Ik voel dat ik het moeilijk vind als mam zo over pap praat.

'Lucas heeft het er heel moeilijk mee,' zegt mam. 'Ik dacht dat het alleen hier was, maar ze merken het ook op school. Hij kan zich niet meer concentreren. En tijdens het buitenspelen hangt hij in z'n eentje rond. Lucas, die altijd zo sociaal is.'

Mam schrobt de pan met een schuursponsje schoon.

'Ik merkte zelf ook wel dat het niet goed ging. Hij eet niet en hij is zo prikkelbaar. Maar je vader zit lekker in Tokio. Die interesseert zich niet meer voor ons. Hij is 'm gewoon gesmeerd.'

'Hou op!' zeg ik. 'Ik wil niet dat je zo over papa praat. Papa vindt het ook heel erg dat hij zo ver weg is, hoor. Hij mist ons heel erg.'

'Laat me niet lachen,' zegt mam. 'Een beetje vader haalt het niet in zijn hoofd om naar de andere kant van de wereld te gaan. Hij is ingepalmd door die meid van hem. Je vader heeft geen ruggengraat.'

'Geef papa maar de schuld van alles.'

'Ja, wie anders? Wie is er zomaar weggegaan?' roept mam.

'Papa is niet zomaar weggegaan,' zeg ik. 'Toen Yahima zwanger raakte, had ze heimwee.' Ik voel de tranen in mijn ogen prikken.

'Ja ja,' zegt mam.

'Jij wilt gewoon papa de schuld geven. Maar het komt helemaal niet door papa.'

'Waar heeft Lucas het anders zo moeilijk mee? Het is sinds papa weg is.'

'Er is nog veel meer veranderd sinds papa weg is,' zeg ik.

Mam kijkt me aan. 'Wat dan?'

'Denk maar eens goed na,' zeg ik.

'Je bedoelt toch niet dat Gerard...?'

Ik zie dat ze schrikt.

'Ja, daar komt het door. Lucas had er heus wel tegen gekund dat papa in Japan woont. Maar nu loopt er soms zo'n loser in ons huis rond.'

Op het moment dat ik dat zeg, voel ik me schuldig. Mam is verliefd op hem. Ik gun haar heus wel iemand, alleen niet Blok. Ik raas maar door. Alle wanhoop van de laatste weken komt eruit.

'Hij zat hier aan het ontbijt, zondag, in papa's badjas. Hoe denk je dat dat is? Natuurlijk is Lucas daar ziek van.'

'Daar heb ik niks van gemerkt,' zegt mam. 'Ik weet dat jij er niet blij mee bent. Maar Lucas...?'

'Je kijkt niet. Dat komt omdat je verliefd bent. En op wie? Ik vind het ook vreselijk dat die eikel hier steeds is. Maar voor Lucas is het nog erger. Hij is een jongen. Moet hij soms met Geitensok voetballen?'

Mam staart voor zich uit. 'Als dat zo is, Britt, als het door Gerard komt, dan moet ik ingrijpen. Misschien heb ik wel te veel aan mezelf gedacht. Maar jullie zijn belangrijker voor me dan Gerard, onthoud dat goed. Als het echt zo is, dan kan het dus niet.'

Ik kijk mam aan. Nu moet ik zeggen dat het een leugen is. Ze heeft het al zo moeilijk gehad toen pap bij ons wegging. Ik denk aan de klas, aan de weddenschap. Wat zullen ze zeggen als ze erachter komen dat Blok allang verkering heeft met mijn moeder?

'Het is zo,' zeg ik dan.

Dat heb ik weer!

Ik voel me schuldig! Mijn moeder gaat het uitmaken met Blok. Mijn broertje is hartstikke depri. Hij mist papa. Ik heb gezegd dat het door Geitensok komt. Ik wist niet dat ik zo gemeen kon zijn. Moet ik het eerlijk zeggen?

Geplaatst door: Britt | Reacties (3)

123

Reactie van Kelly
Gefeliciteerd, Britt. Je bent van hem af!
Don't worry about it.
Kelly

Reactie van Fons
Geweldig, Britt. Nu maar hopen dat ze niet met de volgende
loser aan komt zetten. En voel je vooral niet schuldig. Je redt
haar uit de armen van een ongelooflijke mafkees.
Fons

Reactie van Tamara
Hi Britt,
Ze vindt wel weer een ander. En als je schuldgevoel blijft: ga
met je broertje meedoen aan het datingprogramma Match
my mum/dad. Echt vet!
Tamara

Jullie hebben gelijk. Ik moet er niet mee zitten.
Thanks,
Britt

Geplaatst door: Britt I Reacties (0)

Mijn mobieltje gaat.

'Hi, Puck.'

'Heb je de website gezien?' zegt Puck meteen.

Aan haar stem hoor ik meteen dat het goed mis is.
'Nee.'

'Dennis belde me net. Er zijn weer nieuwe roddels.'

'Wacht even.' Ik klik de site open en lees de nieuwe berichten.

*De zangeres van Crazy Ontbijtkoek playbackt niet eens goed. Volgens
mij zingt ze wel echt. Maar zoooooo slecht! Zielig dat ze dat zelf niet*

doorheeft. Net als die rare kandidaten bij Idols. Ze staat gewoon voor gek.
Gitar girl

Zoals Henk-Jan Smits zou zeggen: 'Zet die zangcarrière maar uit je hoofd! Het is om te huilen zo slecht.'
Power Puppy

Geen zangtalent. En de X-factor heeft ze ook niet. Logisch dat haar ex haar heeft ingeruild voor Britt, de manager van Crazy Ontbijtkoek.
Flower girl

'Horror!' Van ellende geef ik een trap tegen mijn bed.
'We moeten dit aan Noah vertellen,' zegt Puck. 'Maar niet via de telefoon.'
Zal ik Puck vertellen dat ik Sanne verdenk? Ik ijsbeer door mijn kamer.
'Noah is naar jazzballet met Sanne,' zeg ik. 'Ik ga zo eten. Zullen we haar na het eten ophalen?'
'Dat zal wel moeten,' zegt Puck. 'Er moet iets gebeuren.'
'Ja, voor Noah,' zeg ik.
'En voor Crazy Ontbijtkoek,' zegt Puck. 'Dit kan echt niet. Dennis denkt erover de website uit de lucht te halen.'

Nog geen uurtje later zit ik op de fiets. Ik zie er erg tegen op om Noah over de nieuwe roddels te vertellen. Wat zal ze het erg vinden! Ze is er juist trots op dat ze in de band zingt. En het gaat zo goed! Ze had hartstikke succes bij Bliss. Ze is ook super. Ik weet zeker dat ze niet meer op de website heeft gekeken. Echt Noah. Ze dacht natuurlijk dat het bij die paar rotberichten zou blijven. Als ze dit had gezien, had ze me zeker gebeld.

Puck staat al voor de dansstudio als ik aan kom fietsen.

'Wie vertelt het?' vraag ik.

'Jij natuurlijk,' zegt Puck. 'Jij bent onze manager.'

'En haar beste vriendin,' zeg ik. 'Dat maakt het juist zo moeilijk.'

'Daar heb je ze!'

Sanne en Noah komen lachend aanlopen. Ze weet dus echt nog van niks.

'Lang leve koopavond!' roept Noah als ze ons ziet. 'Jullie dachten natuurlijk: zij gaan lekker shoppen, dus we gaan mee? Vet! Met z'n vieren wordt het helemaal lachen. We gaan cd's luisteren.'

'Ja, we moeten naar de Music Store,' lacht Sanne. 'Ik heb daar zo'n mega hunk gespot. Maar hij is van mij, hè? Promise.'

Mens, hou je kop, denk ik. Doe je zo overdreven omdat je wilt verbergen dat je op Dennis valt?

Puck kijkt mij aan. Ik moet het nu aan Noah vertellen. Ik baal zo. Ze is nog niet eens over die afwijzing van Dennis heen en nu dit weer. Ik tel tot drie, haal diep adem en gooi het er in één keer uit. 'Noah, er staan weer nieuwe roddels op de website van Crazy Ontbijt-koek. En eh... ze gaan allemaal over jou.'

Puck haalt een vel papier uit haar zak. 'Ik heb het uitge-print.' Ze geeft het aan Noah.

Noah trekt wit weg als ze het leest. 'Wie doet zoiets?'

Nu leest Sanne het ook. Ik kijk naar haar, maar ze laat niks merken.

'We moeten het stoppen,' zegt Puck. 'Als de directie van De Blauwe Stoep erachter komt, krijgen we troubles.'

Een paar meiden van jazzballet komen bij ons staan.

'Sorry, dit is top secret,' zegt Sanne en ze trekt ons naar de waterkant.

Noah ploft wanhopig in het gras neer. 'Ik word gek! Hoe kan dit? Het moet iemand zijn die me haat. Ik vind het hartstikke eng.'

Sanne gaat naast haar zitten en slaat een arm om haar heen. 'Thaisha en ik komen er wel achter. Promise. Laat dat maar aan ons over. Ik laat mijn vriendin niet kapotmaken. Ik kom er echt wel achter wie dit heeft geflikt.'

Zie je wel, denk ik, je zoekt het zogenaamd zelf uit. Je wilt alleen maar niet dat wij ons ermee bemoeien, anders komen we er misschien achter.

'Mag ik het printje nog even zien?' vraagt Sanne. Noah geeft het haar en Sanne leest de berichten nog eens. 'Yes! Dat dacht ik al,' zegt ze. 'Hier staat dat ze snapt dat je ex je heeft ingeruild voor Britt.'

'Dat vind ik nog het allerergst,' zegt Noah.

'Hoe durven ze!' zegt Puck.

'Maar hoe weten ze dit eigenlijk?' zegt Sanne. 'Dat vraag ik me af.'

'Je hebt helemaal gelijk,' zegt Puck. 'Dat is inside-information. Het betekent dus dat het iemand is die ons kent. En die Crazy Ontbijtkoek kent.'

'Misschien is het zelfs wel iemand uit de band,' zegt Sanne.

Ja, je weet het goed te zeggen, denk ik. Ik moet snel iets bedenken om haar in de val te lokken. Ze maakt Noah kapot. Misschien heeft Puck een goed plan.

HARTSVRIENDIN * Britts blog

Dat heb ik weer!

Dit doe ik dus nooit meer. Ik heb Puck verteld dat ik Gossip Queen verdenk. Ze lachte me uit, recht in mijn face. Ik zag spoken, zei ze. Zo meteen verdenk je mij nog. Ik ben pissed!!
Britt

Geplaatst door: Britt | Reacties (2)

Reactie van Kelly
Hi Britt,
Laat het rusten. Het is toch haar band? Als ze wil dat iemand die kapotmaakt, moet ze het zelf maar weten. Chill!
Kelly

Reactie van Reinoud
Hi Britt,
Sorry, maar ik snap iets niet. Je kunt al die mega leuke testjes bedenken. Dan kun je toch ook wel iets verzinnen om die Gossip Queen erin te laten lopen?
Reinoud

http://www.dathebikweer.com

Ja hoor, Reinoud weet het weer zo goed. Maar wacht even... Misschien heeft hij gelijk. Ik kan een testje maken voor Sanne. Ik ga achter mijn bureau zitten en begin te schrijven. Dit moet Sanne invullen. Noah is nu bij Sanne. Des te beter, want dan kunnen ze het samen invullen. Noah knapt altijd op van een testje. En dan weet ik ook of Sanne Noah wil weghouden bij de band. Ik kijk tevreden naar het testje.

Ik stuur een sms'je naar Noah.

Lieve N***,
Dit testje moet Sanne voor jou invullen, en jij kunt het voor Sanne invullen.
Als jullie je antwoord sms'en, krijgen jullie de uitslag.
x Britt

Welke award moet absoluut naar je BF?

♡ De Dutch Fashion Award!
♣ De Award voor Beste Zangeres!
♢ De Award voor Beste Actrice!
♠ De Dance Award!
☆ De Comedy Award!

Een paar minuten later krijg ik een sms'je van Noah.
Ik kies schoppen voor Sanne, en Sanne kiest klaver voor mij ☺

Ik stuur ze de uitslag:

Dit zegt de uitslag over jouw BF:

♡ Zij heeft altijd de hipste outfit.

♣ Zij zingt gewoon fantastisch!

♢ Zij kan heel mooi toneelspelen.

♠ Zij is een super danseres!

☆ Zij is het aaaaaallergrappigst!

Hm. Hier schiet ik niet veel mee op. Sanne steunt Noah dus wel. Of lijkt dat maar zo? Mijn privétestuitslag voor Sanne: and the award for the best liar goes to... you!

10

Dat heb ik weer!

Super exciting!!!
Walter Erkens (de schrijver van *Rogiers vlucht*) is vandaag op de set!
Ik ga hem in het echt zien! Hij is speciaal overgekomen uit Duitsland. Ik versta alleen geen Duits! Ich brauche Hilfe! Bitte, ich brauch es dringend!!!
Britt

Geplaatst door: Britt I Reacties (2)

Reactie van Tamara
Hi Britt,
Ik wou dat ik mee mocht. Ik zou hem weleens in het echt willen zien.
Kun je een handtekening voor me scoren, bitte?
Vielen Dank!
Kuss,
Tamara

Reactie van Fons
Hey Britt,
Zeg hem dat ik hem de vetste schrijver vind die er bestaat.
Sehr, sehr cool! Ik lees alleen zijn boeken (en die van Carry Slee natuurlijk).
Ben jaloers op je! Ik heb nu echt een testje nodig!!
Tschüss!
Fons

Als je iemand mocht ontmoeten, wie zou dat dan zijn?

♡ Mijn favo acteur/zanger/schrijver.

♣ Ik wil een vriendje!!!!!

◇ President Obama. Topic: make the world a better place!

♠ De jury van *Idols*: dan zou ik voor ze zingen en ze kippenvel bezorgen!

☆ Iemand aan wie ik alles kan vertellen.

Uitslag:
Jij zoekt...
♡ ... creatieve celebs!
♣ ... een booooyfriend!!! Jij hebt er helemaal genoeg van om vrijgezel te zijn.
◇ ... een manier om de wereld beter te maken. You go girl!
♠ ... Fame!! Ik wacht met spanning een cd van je af!
☆ ... iemand die jou begrijpt. Een soulmate dus.

Geplaatst door: Britt | Reacties (1)

Reactie van Fons
Thanks, Britt! Ik had hartje natuurlijk. Viel Spaß!
Fons

http://www.dathebikweer.com

Ik sta al een kwartier voor mijn kledingkast en weet nog steeds niet wat ik aan moet trekken.
Ik sms Puck. *Wat moet ik aan?*

Je rode shirt, natuurlijk, sms't Puck terug.

Daar voel ik me het stoerst in.

Dit wordt echt een super dag. Er schijnt mega veel pers te komen. RTL *Boulevard* komt, en ook het *Jeugdjournaal!* Misschien gaan ze me wel interviewen. Toen ik vanochtend wakker werd, had ik een sms'je van Dave. Hij vindt het ook vet spannend. Ik voel me net een ster uit Hollywood. Zo meteen word ik opgehaald. Dave zit dan al in de auto. En dan rijden we naar een kasteel in Overijssel. Wat een mazzel. Anders had ik twee uur wiskunde vandaag. Twee uur Geitensok. Hij wil wel dat ik de lessen inhaal. Dat zien we nog wel, Zeursok. Voorlopig moet ik heel vaak naar de set. Dave heeft beloofd me bijlessen wiskunde te geven. Dat zal wat worden. Als het net zo gaat als met het oefenen voor de film...

Ik ga voor de spiegel staan. Zo moet ik kijken in de camera als ik word geïnterviewd. Puck heeft het van de week nog even met me geoefend. 'Lach eens,' zei ze. 'Een super smile!'

Vroeger speelden Noah en ik weleens dat we filmsterren waren. Maar nu is het echt!

Shit! Ik moet opschieten. Ik ren de trap af.

De deur van Lucas' kamer is nog dicht.

'Slaapt Lucas nog?' vraag ik mam als ik in de keuken kom.

'Ja,' zegt mam. 'Laat hem maar lekker liggen. Ik heb vandaag vrij genomen. Hij heeft de halve nacht lopen spoken. Dat arme joch zit er echt doorheen. We gaan leuke dingen doen. Ik hoop dat het een beetje helpt. En

eh Britt, het ligt niet aan Gerard. Ik heb met Lucas gepraat. Hij mist papa.'

'Dus eh... het blijft aan?'

Mam knikt.

'Dat vind ik pas stom,' zeg ik.

'Lucas heeft me verzekerd dat het niks met Gerard
heeft te maken,' zegt mam. 'Daar is hij niet van in de
war.'

'Maar ik dan? Ik word wel crazy van die man. En als hij
nog vaker komt, wordt Lucas het ook.'

Ik pak een boterham en ga naar boven.

HARTSVRIENDIN * Britts blog

Dat heb ik weer!

Mijn moeder blijft bij die MEGA loser.
EGT niet te geloven, maar vandaag
kan het me niet schelen. BEKIJK HET
MAAR. Ik ga naar de set!
CU, Britt

Geplaatst door: Britt I Reacties (2)

Reactie van Kelly
Hi Britt,
Misschien word je wel net zo be-
roemd als Madonna. Dan koop
je een mega huis zo groot dat je
Geitensok niet tegenkomt. Ik wil
wel je bediende worden, haha.
Ik baal van school. Suc6 op de
set.
Kelly

Ik heb vandaag wel een heel goed humeur. Ik word niet eens kwaad op Jasper. Buiten hoor ik een auto aan komen rijden. Ik ren naar het raam. Yes! Daar zijn ze!!!

'Hebben jullie al een foto van de locatie gezien?' vraagt Ed, onze chauffeur.
'Nee,' zeg ik.
'Jullie zullen opkijken.'
Dave pakt mijn hand. Ik voel dat hij ook gespannen is.
'Wil je me nog even overhoren?' Hij geeft me het script. 'Die scène met Melanie – ik wil geen bloopers maken als ik met haar speel.'
En als je met mij speelt mag je zeker wel je tekst verge-ten, denk ik meteen. Ik schrik van mijn eigen gedach-ten. Ik had me nog zo voorgenomen niet zo kinder-achtig te zijn. We zitten nog geen minuut in de auto of ik begin al.
'Oké, ik ben wel even Elisabeth,' zeg ik met tegenzin.
'Elisabeth,' begint Dave. 'Ik moet je iets eerlijk op-biechten. Ik ben niet echt verliefd op je.' Dave begint te lachen. 'Ik denk dat Melanie dat in het echt nog nooit heeft gehoord.'

135

'Ik dacht dat je wilde oefenen,' zeg ik geïrriteerd.

'Sorry.' Dave begint opnieuw. 'Elisabeth, ik moet je iets eerlijk opbiechten. Ik ben niet verliefd op je.'

'Is er een ander?'

'Eh... ja,' zegt Dave. 'Kun je een geheim bewaren? Het is Anne, de dochter van boer Witman.'

'Je moet wel een beetje verliefd kijken als je het over Anne hebt,' zeg ik.

'Dat lukt heus wel,' zegt Dave. 'Als ik aan jou denk, komt alles goed. Het gaat nu alleen om de tekst.'

Na een uur rijden geeft Ed ons een seintje. 'Daar is het kasteel, jongens,' zegt hij.

Ed heeft niets te veel gezegd: het kasteel is prachtig.

Als we de Slotlaan op rijden, zie ik veel tv-ploegen en fotografen staan.

Zou Walter Erkens er al zijn? Ik knijp in Daves hand.

'Blijf gewoon jezelf,' zegt Dave. 'Je bent bijzonder genoeg.'

'Zijn jullie er klaar voor?' vraagt Maria als we uit de auto stappen. 'Er is heel veel pers. Dit is Wendy. Zij regelt alle interviews.'

'Hi.' Ik steek mijn hand naar Wendy uit.

'Jullie hoeven je geen zorgen te maken,' zegt ze. 'Ik blijf erbij. Als jullie per ongeluk iets verkeerds zeggen of ze stellen een vervelende vraag, dan spring ik erin.'

'Dave!' roept Maria. 'Omkleden, boy. We beginnen met Melanie en jou.'

Als we omgekleed zijn, ga ik bij de brug staan. Een beetje achteraf, zodat ik niet in het beeld kom. Dave en

Melanie worden gefilmd. Ik kijk naar Dave. Hij komt de poort van het kasteel uit en loopt naar de brug. Melanie rent hem achterna. Ze wil hem tegenhouden, maar Dave loopt door.

Halverwege de brug draait hij zich om. 'Het heeft geen zin, Elisabeth.'

'Stop!' zegt Maria. 'Dave, als je dat zegt, moet je haar niet aankijken. En actie...'

Dave speelt de scène heel mooi.

'Stop maar, tot hier,' zegt Maria.

Een groep fotografen komt aan lopen.

'Wie willen jullie fotograferen?' vraagt Wendy.

Ik sta al op, maar het gaat alleen om Melanie en Dave. Ik voel dat ik het moeilijk vind. Dave heeft zijn arm om Melanie heen.

Een journalist houdt Dave een microfoon voor. 'Dus jij wijst Melanie af,' zegt hij

'Alleen in de film, hoor,' lacht Melanie.

'Dus daarbuiten slaat de vonk wel over?'

'Wij hebben wel wat samen, hè Davie,' zegt Melanie lachend en ze geeft hem een zoen.

'We gaan voor opname!' roept Maria. 'Britt, neem je plek in.'

Ik ga bij de brug staan. Dave staat aan de andere kant van de brug.

'Hou het stil!' roept Maria. 'Camera klaar?'

'Ja!'

'Geluid klaar?'

'Ja.'

'Slate 59, take 1 en... actie!'

Ik begin te lopen.

'Britt, stop maar,' zegt Maria. 'Je loopt te dicht bij het water. Je moet midden op de brug uit komen, weet je nog? Dave, jij komt van de andere kant. Britt loopt door. Dan komen jullie midden op de brug uit. Klaar voor opname? En... actie!'

Ik begin weer te lopen. Als ik Dave zie, blijf ik staan.

'Mijn vader is erachter gekomen,' zeg ik.

'Iets zachter zeggen, Britt,' onderbreekt Maria me. 'En... actie.'

'Mijn vader is erachter gekomen,' zeg ik.

'Maak je geen zorgen,' zegt Dave.

'Ja, stop maar, tot hier!' roept Maria. 'Over een kwartier gaan we verder.'

Ik zie wat er aan de hand is. Walter Erkens stapt uit een auto en loopt de set op. Hij heeft een schattig klein hondje bij zich.

Ed stopt voor Daves huis.

'Tot morgen.' Dave geeft me een snelle kus en stapt uit. Ik ben nog helemaal high van vandaag. Het was echt kicken op de set. Het *Jeugdjournaal* heeft een heel item gemaakt. Ik ga vanavond meteen kijken. Walter Erkens was super aardig. Ik kon hem nog verstaan ook. Hij sprak expres heel langzaam. 'Toen ik het boek schreef, zag ik precies zo'n Anne als jou voor me,' zei hij. Hij vond dat ik het heel mooi speelde. Ik heb het gevoel alsof ik in een droomwereld leef. Alleen met Melanie heb ik nog een beetje moeite. Maar ik weet dat het aan mij ligt. Ik moet niet zo jaloers zijn. Ze kan het gewoon heel goed vinden met Dave, that's all. In mijn hoofd maak ik een testje.

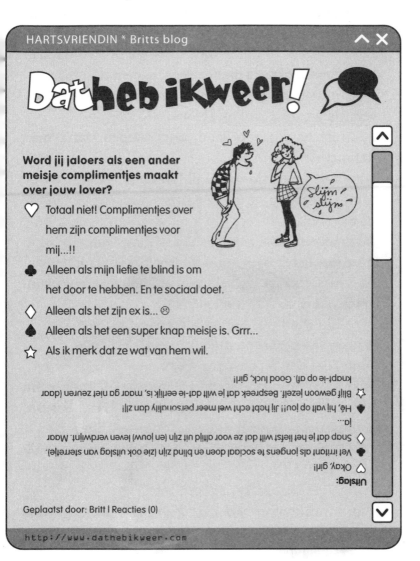

Dat is waar ook, op de set heb ik mijn mobieltje uitgezet. Zodra mijn mobieltje aanstaat, komt er een bericht binnen. Vast van Noah of Puck. Nee, toch niet. Het is een vreemd nummer. Ik luister mijn voicemail af.

Wat? Ik schrik me te pletter als ik het bericht hoor.

'Wil je mij misschien bij mijn vriendin afzetten?' vraag ik Ed.

Ed knikt en rijdt op mijn aanwijzingen naar Pucks straat.

Voor haar huis stap ik uit. Ik loop het pad op naar de garage. Gelukkig, ze is er. De fietsen van Noah en Sanne staan er ook.

Als ik binnenkom, zitten ze aan tafel met een zak chips.

'Hoe was het?' Noah komt meteen naar me toe.

'Is er iets?' vraagt Puck. 'Je ziet er zo bescheten uit. Ze hebben je er toch niet uit gegooid?'

'Nee, de film gaat super. Maar de directeur van De Blauwe Stoep staat op mijn voicemail.'

'Shit! Hij weet het dus,' zegt Puck.

Ik knik. 'We mogen niet meer optreden. Ik moet hem bellen. Maar wat heeft het nog voor zin? Hij heeft ons er uitgekickt door dat gedoe op onze website.'

'Wat?' Noah trekt wit weg. 'Ik heb het dus voor de band verpest.'

'Alsof jij er iets aan kunt doen,' zeg ik.

'Maar we zitten er wel mee,' zegt Puck. 'Dit was onze kans! Daar baal ik echt van. Hoe moeten we dit aan de anderen vertellen?'

'Wat zegt hij precies?' vraagt Noah.

Eigenlijk wil ik het niet vertellen. Het is zo pijnlijk voor haar. Zij kan er niks aan doen.

'Ja, dat wil ik ook wel weten,' dringt Puck aan.

'Je hoeft mij niet te sparen,' zegt Noah. 'Ik ben toch al ziek van die roddels.'

Ik geef toe. 'Oké dan, Crush wil geen zangeres in hun voorprogramma met een slechte naam. Dat zegt hij.'

'Dus zonder Noah mogen jullie wel optreden?' vraagt Sanne.

'Ja,' zeg ik. 'Maar dat doen we natuurlijk niet. We zijn niet gek.'

Er valt een pijnlijke stilte. Waarom zegt niemand iets? Het is toch zo? We gaan toch niet optreden zonder Noah?

Noah staat op en loopt naar de deur. Ze staart somber naar buiten. Ik snap dat ze baalt.

'Misschien is dat dan toch de enige manier,' zegt Sanne.

'Hoe bedoel je?'

'Dat Noah zich terugtrekt,' zegt Sanne. 'Het is niet leuk, maar wat dan? Jullie kunnen Crazy Ontbijtkoek toch niet kapot laten gaan?'

'Belachelijk,' zeg ik. 'No option, toch Puck?'

'Ik vind het niet zo gek wat Sanne zegt,' zegt Puck langzaam. 'Het is balen voor Noah en voor ons allemaal. Maar we moeten aan de band denken.'

'Ik vind niet dat Noah eruit moet,' zeg ik. 'Alsof zij er iets aan kan doen. Dan maar pech voor de band.'

Puck vliegt op. 'Dat kun jij makkelijk zeggen. Crazy Ontbijtkoek is míjn droom hoor, dat weet je best. Je weet wat het voor mij betekent.'

'Dat weet ik ook,' zeg ik rustig. 'De band is heel belangrijk voor je. Maar dit is vette pech, Puck. We kunnen Noah niet laten vallen.'

'Niet zo dramatisch,' zegt Sanne. 'Noah zit er nog maar net bij.'

'Wat heeft dat er nou mee te maken?' zeg ik.

'Jij hebt je film,' zegt Sanne. 'Jij wilt toch ook een ster worden? En dat heeft Puck met de band.'

'Maak je vooral geen zorgen,' zegt Noah ineens. 'Ik stap er al uit. Van mij hebben jullie geen last meer.' Ze loopt naar buiten en gooit de deur met een klap dicht.

'Dit kan toch niet,' zeg ik tegen Puck. 'Je laat haar toch niet zomaar gaan?'

'Ik dacht dat jij onze manager was, Britt,' zegt Puck fel. 'Je denkt alleen maar aan Noah. Niet aan de band.'

'Daar heeft Puck helemaal gelijk in,' zegt Sanne. 'Je moet zakelijk zijn, Britt. Dat Noah je vriendin is, staat hier buiten. Ik kom toch ook voor de band op? Het is niet eens mijn band.'

'O, ik moet dus zakelijk zijn. Oké. Maar dan wil ik ook dat we met de hele band bij elkaar komen en een beslissing nemen. Trouwens...' Ik kijk Sanne aan. 'Ik dacht dat jij zou uitzoeken wie ons dit flikt. Ons hè, niet alleen Noah.'

'Daar zijn Thaisha en ik toevallig heel druk mee bezig,' zegt Sanne. 'Dat vertelde ik net aan Puck en Noah, vlak voor jij kwam. Het gaat om één persoon, zover zijn we al.'

'Je weet nog niet wie?'

Sanne slaat haar ogen neer.

142

'Of weet je het wel?' dring ik aan.

'We hebben wel aanwijzingen,' zegt Sanne. 'Maar we weten het nog niet zeker. Dus ik zeg nog niks.'

Ik geloof er niets van. Helemaal niets.

Nou kan ik dat hele pokkeneind nog naar huis lopen ook. Ik had geen zin om te vragen of Puck me bracht. Ik baal dat ik met ruzie ben weggegaan, maar ik sta er helemaal achter. Noah moet gewoon in de band blijven. En Sanne is helemaal brutaal. Ik zou volgens haar geen goede manager zijn. Nee, zij is een fijne vriendin. Ze wil Noah gewoon kapot hebben. Kon ik het maar bewijzen. Dan ben ik maar een softie. Bij mij gaat Noah toch echt voor. Ik moet die vent van De Blauwe Stoep nog terugbellen. Maar nu even niet. Ik ben veel te pissed. Balen! Ik was juist zo blij. Straks maar even met mam en Lucas naar het *Jeugdjournaal* kijken. Ineens moet ik aan pap denken. Als hij hier nog was, had ik de uitzending vast bij hem gekeken. Pap zou een taartje hebben gehaald. En dan zou ik lekker tegen hem aan zijn gaan zitten. Wat zou hij trots zijn. Hij weet dat vandaag de pers op de set was. Ik heb het hem gemaild. Het is vast moeilijk voor hem dat hij het niet kan zien. Hij kan het morgen zien bij uitzendinggemist.nl. Maar dat is niet hetzelfde.

'Hallo!' roep ik als ik binnenkom en niemand zie.

'We zijn boven!' roept mam. 'Op Lucas zijn kamer.'

Ik was even vergeten dat Lucas vandaag thuis was gebleven. Als ik binnenkom, ligt hij in bed. Mam zit naast hem en houdt zijn hand vast.

'Ben je ziek?'

'Ik heb buikpijn.' Lucas ziet witjes.

'Dit mannetje is heel erg van slag,' zegt mam. 'Hij wilde vandaag niet eens iets leuks doen. Ik heb voor morgen een afspraak bij de huisarts gemaakt. Maar vertel, meis, hoe ging het?'

'We komen zo op het *Jeugdjournaal*. En Walter Erkens heeft een handtekening in mijn boek gezet.'

'Kind, wat bijzonder allemaal. We gaan zo beneden kijken. Dan kom jij ook even uit bed, toch Lucas?'

Lucas knikt.

'O, de bel,' zegt mam. 'Daar zul je Gerard hebben.'

'Wat?!' roep ik. 'Ik dacht dat we met zijn drietjes gingen kijken.'

Mam doet net alsof ze het niet hoort en gaat naar beneden.

Bah, ik hoor de stem van Geitensok. Ik heb echt geen zin om met hem erbij te kijken. Ik ren naar beneden en pak mijn jas. Ik negeer Blok.

'Waar ga je naartoe?' vraagt mam. 'Het *Jeugdjournaal* begint zo.'

'Ik ga bij Noah kijken.'

'Waarom ben je zo boos?' zegt mam. 'Je had toch een fijne dag?'

'Ja, maar daarna ging alles mis. We mogen niet meer optreden bij Crush, omdat er roddels over Noah op onze site zijn gezet. De directeur van De Blauwe Stoep staat op mijn voicemail.' Ik trek de voordeur open.

'O nee!' zegt Blok. 'Daar komt niks van in.'

Nou wordt het helemaal mooi! Mag ik niet eens weg?

Waar bemoeit die eikel zich mee? 'Wat nou?' zeg ik. 'U kunt me niet tegenhouden. Ik ga naar Noah.'

'Britt, er komt niks van in,' zegt Blok weer.

Ik word woedend. 'U bent mijn vader niet!'

'Maar dat kan zomaar niet, Britt,' zegt Blok.

'Wat kan zomaar niet?' roep ik fel.

'Dat jullie niet mogen optreden,' zegt Blok. 'We hebben een contract. Ik heb het zelf ondertekend.'

Ik kijk Geitensok stomverbaasd aan.

'Geef mij het telefoonnummer van De Blauwe Stoep,' zegt hij. 'Dan zal ik die meneer even uit de droom helpen.'

11

Balen! Ik heb ruzie met Puck. Ze wil Noah uit de band zetten. Zo meteen gaat het net als bij de Bitches en klapt onze band uit elkaar. @@@@@Hhhhhhh...!!!

 Het enige goeie is dat Geitensok misschien iets kan met het contract. En het allerbeste: ik ben nog steeds *hoteldebotelstapelverliefdopmijnsuperhunk*!!!
Britt

Geplaatst door: Britt I Reacties (3)

Reactie van Jasper
Eindelijk! Je voelt voor mij wat ik al jaren voor jou voel... Knuffelkipje van me!
Forever yours, Jasper

Reactie van Kelly
Knuffelkipje???!!! Jasper, doe ff normaal.
Tof, Britt, dat je het voor Noah opneemt. Jij bent tenminste een echte vriendin.
Ik ben trots op je.
Kus, Kel

Hopelijk heeft Reinoud gelijk en waait de ruzie zo over. Sinds gisteren heb ik niets meer van Puck gehoord. Zelf heb ik ook geen zin om haar te bellen. We mogen misschien toch optreden, maar ik blijf het belachelijk vinden dat ze Noah zomaar heeft laten vallen. Het zal wel weer goed komen als we elkaar straks op school zien.

Ik pak mijn fiets en rijd naar school. Ik ben nog maar net onderweg als Max en Nick naast me komen rijden.

'De date van Blok staat,' zegt Max. 'Ik kreeg gisteravond een berichtje van Christa. Zaterdagmiddag om halfvier bij Carels.'

'Met een roos in haar hoed,' zegt Nick. 'Het wordt super.'

Ik voel me er erg ongemakkelijk bij. 'Vet!' zeg ik alleen maar.

Ik heb besloten toch mee te gaan. Het valt op als ik niet kom. Zou die vrouw op mam lijken? Mam draagt gelukkig geen hoed.

'Hoe denk jij dat ze eruitziet?' vraagt Nick.

'Echt geen idee,' zeg ik.

Als we het schoolplein op rijden zie ik Dave. De halve klas staat om hem heen. Hij is zeker aan het opschep-

147

pen over gisteren. Ik moet wel om hem lachen. Het is zo'n macho. Nu heeft hij praatjes, maar op de set doet hij lang niet zo wijs als hier.

Zodra ik mijn fiets heb weggezet, komt Puck naar me toe. Ik wil haar over Nick vertellen.

'Ik ben echt pissed op jou,' begint ze voordat ik iets kan zeggen. 'Ik baal van wat er gisteren is gebeurd, Britt. Jij hoort achter de band te staan.'

'Jij ook,' zeg ik.

'Alsof ik dat niet doe.'

'Nee, inderdaad, dat doe jij niet. Als jij achter de band stond, zou je Noah er niet uit gooien. Ze zingt hartstikke goed. Het zijn alleen maar roddels. Ik dacht dat het jou nooit kon schelen wat mensen zeggen. Nou, dat merk ik.'

Noah en Sanne komen erbij staan. 'Jullie hoeven er geen ruzie over te maken,' zegt Noah. 'Ik ben uit de band gestapt.'

'En dan treden we zeker op zonder zangeres. Dat zullen ze leuk vinden. Trouwens, dat staat in het contract. Dat kan niet eens.'

'Yvet wil wel bij de band,' zegt Puck.

'Bedankt.' Noah slaat haar ogen neer.

'Heel fijn,' zeg ik. 'Dat wilde je toch zo graag, Puck? Het komt je zeker wel goed uit.'

'Dat is vals,' zegt Puck. 'Dit neem je terug.'

'Oké,' zeg ik. 'Ik neem het terug. Maar het is dus al geregeld. Ik dacht dat je zoiets met je manager besprak, maar dat is dus niet zo.'

'Beledigd?' vraagt Puck.

'Helemaal niet,' zeg ik. 'Het is alleen heel raar. Je weet nog niet eens wie er achter die roddels zit.'

'The show must go on,' zegt Puck. 'Ik vind dat we meteen bij elkaar moeten komen. Met Yvet erbij.'

'En de saxofonist van de Bitches,' zeg ik. 'En de gitarist van de Bitches. En de toetsenist van de Bitches. Ze hebben vast nog wel een manager. Succes ermee!' Ik loop achter Noah aan de school in. Ik kijk naar Dave. Hij staat er nog met een groepje om hem heen. Frank van de schoolkrant staat er ook bij. Als ik de trap op loop, rent Frank achter me aan.

'Britt, ik heb net Dave gesproken. Jouw kant van de lovestory wil ik ook horen. Kan het in de pauze?'

'Prima.' Dave heeft het dus over ons gehad.

'Dat heeft niet lang geduurd, hè?' zegt Evelien als ik bij de kapstok sta. 'Nu alweer uit elkaar.'

'Het komt heus wel weer goed,' snauw ik. Echt Evelien weer. Hoe weet ze dat Puck en ik ruzie hebben?

Als ik door de gang loop, zie ik dat leerlingen van andere klassen me aanstaren. Puck heeft het dus echt rondgebazuind. Alsof dát goed is voor de naam van de band. Ik heb het even helemaal met haar gehad.

Als we maar geen so krijgen, denk ik, als ik het lokaal van Engels in ga. Gelukkig liggen er geen proefwerkblaadjes op de tafel. Ik ga naast Puck zitten, maar zeg niks. Puck zit ook half van me afgekeerd. Raar is dat. Het is de eerste keer dat we ruzie hebben.

Pauw loopt naar de kast en haalt er een stapel blaadjes uit. Shit, denk ik. Dus toch een so.

'We zouden geen so krijgen,' zegt Max.

'Nee,' valt Nick hem bij. 'Dat hebt u gisteren beloofd. Britt mocht vertellen over de set.'

'Dat leek me nu niet zo'n goed idee,' zegt Pauw.

'Dat wordt toch alleen maar een tranendal,' zegt Evelien tot overmaat van ramp.

'Hoezo?' roep ik. Nou moet ze echt ophouden. Wat heeft die ruzie met de band met de set te maken?

'Het ging anders super,' zeg ik. 'Hebben jullie het *Jeugdjournaal* gezien?'

Uiteindelijk heb ik toch thuis gekeken. Met Geitensok erbij. Ik was zo blij dat hij de directeur van De Blauwe Stoep ging bellen dat het me niet meer kon schelen dat hij erbij was. Ik vond het eerst gek om mezelf op de tv te zien. Ze hebben de scène waarin ik met Dave zoende gefilmd. Het zag er heel romantisch uit. Dave sms'te meteen. *Ik ben super trots, darling!*

'Ik vond het een heel gaaf stuk,' zegt Thomas. 'Toen wist je nog van niks, Britt. Anders had je het niet zo kunnen spelen.'

'Jullie hebben het echt heel goed weten te verbergen,' zegt Evelien.

'Helemaal niet,' zeg ik. 'Toen waren er nog geen troubles. Ik voelde me super. En het was zo vet met Walter Erkens. Ik vond hem heel aardig. Hij had een klein hondje bij zich. Eerst wilde de regisseur geen honden op de set. Maar Walter zei dat zijn hond heel stil was. Nou, dat hebben we gemerkt. Midden in de zoenscène van Dave en mij begon hij te blaffen. En toen moest het helemaal over.'

'Dat vond jij zeker niet erg,' zegt Thomas.

'Geen grapjes nu,' zegt Pauw. 'Geen zout in de wond strooien.'

Ik weet niet wat Pauw bedoelt, maar ik laat het maar. Leraren zeggen toch nooit iets normaals. Noah geeft me een knipoog en gebaart dat ik door moet praten. Dan krijgen we tenminste geen so.

'Eh, en we hadden ook een mega blooper. Melanie stond op de brug. Ze liep naar achteren en stapte op haar jurk. Toen lag ze in de sloot.'

'Ja ja, nou gauw over Melanie beginnen,' zegt Evelien.

'Hoezo?' vraag ik.

'Oké,' zegt Pauw. 'We hebben nog vijfentwintig minuten over voor ons so. Schrijf allemaal op wat Britt heeft verteld. In perfect Engels.'

Puck is echt kwaad. Ze heeft de hele les niks tegen me gezegd. Toen ik iets zei, gaf ze geen antwoord. Nu zie ik haar de trap af naar buiten gaan. Zelf loop ik met Noah en Sanne de aula in. Ik laat Puck maar even.

Ze kan heel koppig zijn, maar opeens is het over. Met haar vriendin van de vorige school heeft ze weleens een halfjaar ruzie gehad. Geen van tweeën wilden ze toegeven. Zo zit ik niet in elkaar.

Als we de aula in komen staat een groepje leerlingen gebogen over een krantenartikel. Het schijnt nogal leuk te zijn, want iedereen lacht en joelt. Een jongen ziet me binnenkomen. Hij fluistert iets naar de anderen. En dan valt het stil.

Hier wil ik meer van weten. Ik loop naar de tafel en kijk stiekem mee.

Dus dat is het! Een foto van de set. Melanie en Dave staan op de voorpagina. Dus daarom doen ze zo vreemd. Ze denken zeker dat ik het erg vind dat ik er niet op sta. Maar ik gun het Dave van harte.

Noah leest hardop voor wat erboven staat. *'Opbloeiende liefde op de set van Rogiers vlucht. Heeft onze Melanie haar ware liefde gevonden?'* Ik voel dat ik wit wegtrek. Terwijl mijn hart in mijn keel klopt, glijden mijn ogen over de tekst.

Als het aan hoofdrolspeler Dave Filarski ligt, komt Melanies droom uit. In tegenstelling tot het middeleeuws drama, waarbij Rogier (Dave Filarski) Elisabeth (Melanie Rijker) afwijst, bloeit hun liefde op de set met het uur op.

Ik kan niet verder lezen. De letters tollen voor mijn ogen en ik voel me kotsmisselijk.

'Nou, Britt, die foto liegt er niet om.' Noah slaat een arm om me heen. 'Kijk dan hoe verliefd hij haar aan-gaapt?'

'Gisteren hebben we nog gezoend!' zeg ik. 'Hoe kan dit nou? Ik kreeg vanochtend nog een lief sms'je. Hier.' Ik zoek het op. *You are the only one. Dave.*

'Britt, ik heb er ook nooit iets van gemerkt,' zegt Noah.

'Hij doet het zo sneaky. Ik wist toen toch ook niet dat hij iets met jou had.'

'Sorry,' zegt Sanne. 'Maar ze is ook wel heel beautiful.'

'Ik denk eerder dat hij op haar valt omdat ze beroemd is,' zegt Noah.

'Het is zo gemeen,' zeg ik.

'Britt, excuse me,' zegt Sanne. 'Maar als ik verkering kan krijgen met een celebrity, dan laat ik me ook niet tegenhouden.'

'Dit is helemaal Dave Filarski,' zegt Noah. 'Daarom ben ik op hem afgeknapt. Ik voel het weer in mijn maag.'

'Wat een mazzel heeft die Dave,' hoor ik een jongen zeggen. 'Deze foto hangen we op, mannen.' Hij prikt hem meteen op het prikbord vlak onder mijn neus. Dus hier mag ik steeds naar kijken als ik de aula in kom.

'Die gozer zit bij ons in de klas,' zegt een andere jongen.

'Hallo,' zegt weer een ander. 'Mag ik effe lekker mee naar die set? Er zijn vast nog meer BN'ers?'

Ik sta als versteend bij de tafel. Ergens heel ver weg hoor ik de zoemer.

'Kom op,' hoor ik Sanne zeggen. 'Er komt wel weer een nieuwe boy voor je.'

Noah en Sanne lopen de aula uit. Als een zombie loop ik achter hen aan. Wat hebben we eigenlijk? Ik weet het niet eens meer. Het maakt me ook niet uit. Ik ga toch niet naar de les. Ik kan het niet. Wel balen dat ik Puck nu niet kan spreken.

Ik ga de trap af, pak mijn jas en klop bij de conciërge aan. 'Ik voel me ziek. Ik ga naar huis,' zeg ik.

'Je ziet inderdaad witjes,' zegt hij. 'Gaat het wel? Of moet ik iemand van je klas meesturen?'

'Het gaat wel.'

Ik loop de school uit. Mijn hand trilt als ik mijn fiets van het slot haal. Ik zet mijn mobieltje uit. Stel je voor dat Dave belt... Ik hoef hem niet te spreken. Het liefst zou ik hem nooit meer zien. Maar morgen moeten we naar de set. Melanie is er dan ook. Opeens is de film een nachtmerrie geworden.

Waar ben ik eigenlijk? Ik rijd kriskras door de stad. Dus daarom zei Evelien dat het een tranendal zou worden. Daarom liet Pauw me liever niet over de set vertellen. Iedereen wist het al. Behalve Noah, Sanne en ik.

Ik sta voor de hele school voor gek. Zou Puck het hebben geweten? Nou ben ik haar ook nog kwijt. Wat moet ik nu? Anders zou ik altijd naar paps atelier gaan. Ineens voel ik weer hoe erg ik hem mis. Kon ik maar naar hem toe. Kon ik maar even tegen hem aan zitten. Ik voel me zo eenzaam. De foto van Melanie en Dave staat op mijn netvlies gebrand. En iedereen roddelt over me. Ik weet wat ze denken: dit is je straf. Je hebt Dave van Noah afgepikt en nu flikt Melanie bij jou hetzelfde.

Ik heb het gevoel dat ik moet overgeven. Ik rijd naar huis. Mam is er niet, anders zou ik niet gaan. Als ik de straat in kom staat haar auto voor de deur. De fiets van Lucas staat er ook. Ze zijn naar de dokter geweest, dat was ik helemaal vergeten.

Ik ga toch maar naar binnen. Wat moet ik anders? Ik kan toch geen rondjes blijven rijden?

'Jij ook al thuis?' vraagt mam verbaasd als ik de kamer in kom. Ze kijkt samen met Lucas een dvd.

Ik kijk haar aan, maar ik kan het niet vertellen. 'Ik voel me ziek,' zeg ik alleen maar en ik loop door naar boven. Ik schop mijn schoenen uit en kruip meteen onder mijn dekbed. Ik hoor mam op de trap. Maar ik wil niemand zien. Helemaal niemand.

Mam gaat op de rand van mijn bed zitten.
'Het lijkt hier wel een ziekenhuis vandaag,' zegt ze. 'Eerst met Lucas naar de dokter. En nu kom jij ziek naar huis. Wat heb je?'
'Hoofdpijn. Ik heb twee aspirientjes ingenomen.'
'Spanning dus,' zegt mam. 'Net als Lucas.'
'Wat zei de dokter over Lucas?'
'Dat arme joch,' zegt mam. 'Hij kan niet verwerken dat zijn vader zomaar is vertrokken. De dokter wil dat ik een afspraak maak bij een psycholoog. Lucas heeft er hulp bij nodig.' Als mam mijn verschrikte blik ziet, zegt ze gauw: 'Maak jij je maar geen zorgen. Het komt wel goed met je broertje. Ga maar een uurtje slapen, dan voel je je misschien weer beter.'
Maar van slapen komt weinig terecht. Moet Lucas naar een psycholoog? denk ik de hele tijd. Wat zielig! Ineens word ik woedend op pap. Weet hij wel wat hij heeft gedaan?! Ik zie weer voor me hoe verdrietig Lucas voor paps atelier zat. Zo eenzaam. Ik heb tenminste nog de film en Dave. O ja, Dave. Ik word meteen weer depri, maar ik wil nu niet aan hem denken. Ik wil ook niet aan de ruzie met Puck denken. Het gaat nu om Lucas. Hoe moet het verder met hem? En pap weet van niks. Hij denkt gewoon dat alles goed met hem gaat. Belachelijk, eigenlijk. Hij zit daar lekker de babykamer in te richten terwijl Lucas zo verdrietig is. Ik stap uit bed en ga achter mijn laptop zitten.

Dat heb ik weer!

Is iemand van jullie weleens bij een psycholoog geweest? Mijn broertje moet ernaartoe. Hij mist mijn vader.
Britt

Geplaatst door: Britt | Reacties (3)

Reactie van Fons
Hi Britt,
Wat rot voor je broertje. Toen mijn ouders waren gescheiden moest ik ook naar een psycholoog. Ik heb er veel aan gehad om met iemand te praten.
X Fons

Reactie van Jasper
Hi Britty van me,
Ik was eerst ook desperate, omdat ik jou miste.
Toen ben ik ook naar een psycholoog gegaan. Ze zei dat ik geduld moest hebben en dat het goed zou komen tussen ons. Dus... ik wacht op je, darling. Op een dag lees ik op je blog: Britt is weer vrijgezel! Joeehooeee!
Je Jaspertje

Kill! Kill! Kill! Wat een loser is het toch. Ik wil uitloggen als er nog een reactie komt.

Ik open mijn e-mailaccount en begin te typen.

Hoi pap,
Lucas is heel ziek. En dat komt omdat jij weg bent. Hij moet naar een psycholoog. Hij mist je. Je moet hem helpen, voordat hij nog veel zieker wordt.

Zonder het over te lezen druk ik op verzenden. Pap zal wel schrikken, maar dat kan me niks schelen. Mijn mobieltje gaat. Het is Dave! Ik heb nu echt geen zin in hem. Bel Melanie maar als je zo nodig moet kletsen. Die vind je toch zo leuk? Ik druk hem weg. Maar het kan natuurlijk niet zo blijven. Ik moet hem een keer spreken. Morgen zijn we weer samen op de set. Hoe moet dat dan? Zo meteen heeft hij verkering met Melanie. Dan mag ik naar hun geslijm kijken. En dan kan ik daarna nog een liefdesscène met hem spelen. Toch ben ik niet van plan de film op te geven. Dat mocht hij willen. Hier heb ik al heel lang van gedroomd. In mijn hoofd hoor ik de stem van Puck al. Je

157

gaat je droom toch niet weggooien voor een boy?

Lucas komt mijn kamer in.

'Ik heb papa verteld dat je ziek bent,' zeg ik.

'Stommerd,' zegt Lucas kwaad. 'Dat wil ik helemaal niet. Papa hoeft het niet te weten.'

'O nee? Waarom niet? Het gaat helemaal niet goed met je. Je verliest alles. Je vrienden, Ruben. Op school gaat het niet goed. En dat is papa's schuld. Hij had niet zomaar weg mogen gaan. Papa heeft overal schuld aan,' zeg ik. 'Ook dat die stomme Geitensok het hier voor ons verpest.'

'Kijk eens!' Mam komt mijn kamer binnengestormd, met de krant. 'Er staat een stuk in over de film. Ze schrijven er heel goed over. Hier is een foto van de hoofdrolspelers. Ik had verwacht dat jij er wel op zou staan, maar ik snap het wel. Dit is zo'n mooi verhaal. Die twee zijn verliefd geworden op de set. Je wordt trouwens wel genoemd. Hier staat het: Britt Koetsier speelt Anne. En volgende keer sta jij misschien wel op de foto.'

'Hoe kan dat nou?' zegt Lucas tegen mij. 'Jij was toch met Dave?'

'Helemaal niet!'

'Ik heb jullie toch samen zien zoenen?'

'Lucas,' zegt mam. 'Bemoei jij je er nou niet mee.' Met een zucht loopt ze de kamer uit.

Als mam weg is, pak ik de krant en prop hem in elkaar.

'Het was wel jouw vriendje, hé zus.' Lucas pakt mijn hand. Ineens moet ik huilen.

'Ze heeft hem afgepikt,' zegt Lucas. 'Net als Yahima pa-

158

pa van mama heeft afgepikt.'

'Het is niet Melanies schuld,' zeg ik.

'Het is papa's schuld,' zegt Lucas.

'Ja, papa heeft overal schuld aan.' Ik kijk naar de regen die tegen de ruit slaat.

'Papa heeft overal schuld aan,' herhaalt Lucas. 'Ook dat het nu regent.'

En dan moeten we lachen.

HARTSVRIENDIN * Britts blog

Dat heb ik weer!

Iemand nog een gelukspoppetje nodig? Ik hoef het niet meer. Zeker niet van zo'n player.
Veel geluk heeft het trouwens niet ge-bracht. Dus misschien moet ik het maar uit het raam smijten...
Unhappy Britt

Geplaatst door: Britt I Reacties (2)

Reactie van Jasper
Hi Brittje,
Jij bent mijn gelukspoppetje! En ik zou jou never nooit weg-doen.
Je Jaspertje

Reactie van Tamara

Hey Britt,
Ik snap dat je het wegdoet. Ik heb een keer een ringetje gekregen van mijn ex. Ook zo romantisch, NOT. Ik kwam erachter dat een ander meisje precies hetzelfde ringetje van hem had gehad. Balen!
Maak je nog een testje?
Sterkte, Tamara

Komt-ie.
x Britt

Wat zou jij nooit weggooien?

♡ Foto's (vooral niet de totaal mislukte of rare foto's).

♣ Mijn fake Chanel-tasje. Dat gooi ik pas weg als ik het kan inruilen voor een echte. ;-)

◇ Mijn knuffels.

♠ Mezelf. ☺

☆ De herinneringen aan mijn ex.

Uitslag:

♡ Haha, heel goed. Van die mislukte en rare foto's heb je later vet veel lol!
♣ Dat echte tasje komt er wel, want jij bent een fashion lover!
◇ Zou ik ook never nooit doen.
♠ Yeah, never give up on yourself!!!
☆ *slik*

Geplaatst door: Britt | Reacties (1)

Reactie van Sara

Hi Britt,
Leuk testje weer! Thankx! Ik had schoppen, klopt helemaal bij mij. Als ik jou was, zou ik vanavond eens goed kijken naar die soap waarin Melanie speelt. Melanie belt toch zo vaak? Als ze een gelukspoppetje aan haar mobieltje heeft, weet je genoeg.
Liefs, Sara

Dat zou helemaal erg zijn. Ik ruk het gelukspoppetje van mijn mobieltje, open het raam en smijt het naar buiten. Het idee alleen al dat Melanie hetzelfde gelukspoppetje heeft...!

Ik moet het uitmaken met Dave. Maar liever niet door de telefoon. Ik wil zijn gezicht zien. Het liefst zou ik het nog even uitstellen, zodat ik me er nog meer op kan voorbereiden. Maar helaas kan dat niet. Voor we samen op de set zijn moet hij het weten. Nog een geluk dat we het niemand van de crew en de cast hebben verteld dat we verkering hadden. Dan zou ik me zo bekeken voelen. Nu hoeft niemand iets te merken. Misschien ben ik af en toe wel desperate, maar wat dan nog? Ze weten dat pap naar Japan is, misschien denken ze dat het daardoor komt. Noah heeft gelijk gehad: Dave is een player. En ik ben er met open ogen ingetrapt. Ik hoef nooit meer verkering. Alle boys kunnen opzouten. Misschien is het het beste als ik nu naar hem toe ga. Dan ben ik er vanaf.

Ik bel Noah. 'Je moet me even moed inpraten.'

'Ga je het uitmaken?'

'Ja. Ik vind het zo gemeen van Dave. Shit, nu moet ik weer huilen.'

'Britt,' zegt Noah. 'Niet te desperate, hoor. Dat is die loser niet waard. Laat hem maar lekker met Melanie gaan. Ik wens haar veel plezier met die eikel.'

'Als ik maar niet moet huilen als ik bij hem ben. Dat gun ik hem niet.'

'Nou en?' zegt Noah. 'Dan huil je maar. Hoeveel meiden zal hij nog aan het huilen brengen? Ga je naar zijn huis?'

'Dat was ik wel van plan. Tenminste, als hij thuis is.'

'Zal ik met je meegaan? Dan wacht ik op de hoek.'

'Nee, ik moet het helemaal zelf doen. Maar daarna kom ik naar je toe.'

'En dan ga ik je troosten. Ik zet de chips en de chocola alvast klaar. En pen en papier voor een testje. Dat is voor mij ook goed. Hoe denk je dat ik me voel nu ik uit de band ben gekickt? '

'Je bent er niet uit gekickt,' zeg ik. 'Maar daar hebben we het straks wel over. Eerst deze rotklus. O Noah, als ik het maar durf. Zo meteen sta ik voor zijn deur en dan loop ik ineens weg. Echt iets voor mij. Ik ben zo'n schijterd.'

'Hoezo, schijterd? Britt, je bent een powergirl. Moet je zien wat je allemaal durft. Je stapt zo bij De Blauwe Stoep en de krant naar binnen. En nu zou je bang zijn voor zo'n losertje. Zet 'm op, hoor.'

'Ciao.' Ik zucht als ik ophang. Nu moet ik dus wel naar Dave toe om het uit te maken. Ik wil geen loser zijn.

'Ik ga naar Noah,' zeg ik als ik beneden kom.

'Fijn dat je weer bent opgeknapt,' zegt mam. 'We gaan vanavond bij de Thai eten. We moeten de boel hier maar een beetje opvrolijken. Ik geloof trouwens dat ik nog meer goed nieuws heb. Gerard heeft een briefje voor je achtergelaten.'

Zonder het te lezen stop ik het in mijn tas. Alsof mijn hoofd daar nu naar staat. Ik ga eerst maar eens mijn verkering uitmaken. Daarna zien we wel verder. Mam moest eens weten. Ik wilde dat ik naar haar had geluisterd. 'Jullie zijn veel te jong voor verkering. Op jullie leeftijd moet je *plezier maken met je vriendinnen.'* Lekker truttig, maar misschien heeft ze wel gelijk.

Als ik langs Mister X rijd, stap ik af. Het kan best zijn dat Dave hier zit. Dat zou wel zo makkelijk zijn, dan hoef ik niet helemaal naar zijn huis. Echt aanbellen is zo officieel. En het is toch al zo eng. Ik zie zijn fiets niet staan. Maar je weet het maar nooit. Ik zet mijn fiets neer en gluur naar binnen. Bij de bar staat Yvet met een vriendin.

Ze ziet me en komt naar buiten. 'Hi,' zegt ze. 'Goed dat ik je hier zie. Ik wilde toch al even met je kletsen. Het is zo vervelend gelopen met Crazy Ontbijtkoek.'

'Sorry, ik kan nu niet,' zeg ik. Ik ben pissed op Yvet. Ze wil toch alleen maar Noahs plek inpikken. Ik heb het helemaal gehad met al die inhalige meiden.

'Vijf minuten maar,' zegt Yvet. 'O, Syl,' zegt ze tegen haar vriendin, die naar buiten komt. 'Ik ga nog even iets met Britt drinken. Britt is de manager van Crazy Ontbijtkoek.'

Was, denk ik.

'Prima,' zegt haar vriendin. 'Dan zie ik je morgen. Ciao!'

Yvet trekt mij mee naar binnen. 'Een paar minuten dan. Hier is nog een plekje.' Ze ploft bij het raam neer. 'Leo, twee cola. Op mijn rekening.' Daarna keert ze zich om naar mij. 'O Britt, ik vind het vreselijk voor Noah wat er is gebeurd.'

Ja ja, denk ik. Het komt jou anders wel goed uit. Je wilde al in onze band.

'Je moet niet denken dat ik zomaar haar plek wil innemen,' zegt Yvet alsof ze mijn gedachten kan lezen. 'Maar zulke roddels maken jullie band wel kapot. Daarom heb ik een idee: ik word tijdelijk jullie zangeres. Tot de roddels zijn geluwd. Dan kan Noah daarna gewoon weer terugkomen.'

Dus Yvet wil niet voor altijd haar plek innemen. Zou ze echt aan de naam van de band denken, en niet alleen aan zichzelf?

'Het blijft afschuwelijk voor Noah,' zeg ik. 'Want als het goed gaat met de band wil niemand meer dat jij nog weggaat. Jij bent als zangeres veel bekender dan Noah.'

'Dan zouden we samen kunnen zingen,' stelt Yvet voor. Goh, dat is wel tof van haar.

'Ik vond het zo vervelend toen ik hoorde dat jij kwaad was,' zegt Yvet. 'Ik dacht: dat moet ik rechtzetten.'

'Ik was niet kwaad op jou,' zeg ik. 'Dat moet je niet denken. Ik vond het niet kunnen dat Puck zo gemakkelijk Noah aan de kant zette.'

'Gelukkig,' zegt Yvet. 'Ik vind jou namelijk vet. Je bent zo'n goeie manager. Als jij onze manager was geweest, waren de Bitches nooit uit elkaar gegaan.'

Ik voel me gevleid. Ze lijkt me niet het type dat strooit met complimentjes.

'Ik heb wel ruzie met Puck gemaakt,' zeg ik.

'Logisch,' zegt Yvet. 'Jij komt op voor Noah. Als jij niet wilt dat ik het overneem, dan doe ik het niet.'

Zie je wel, ze wil Noahs plek helemaal niet inpikken. Ik schaam me dat ik me zo in haar heb vergist. Ik ben blij dat ik het nu weet. Ik zal het Noah ook vertellen. Het gaat haar om Crazy Ontbijtkoek. Misschien doet ze het wel voor Kiki.

'Zeg maar wat je wilt,' zegt Yvet. 'Even goeie vrienden.'

'Misschien is het wel verstandig,' zeg ik. 'Pucks band mag er beslist niet aan gaan.'

'Goed van je, Britt. Het wordt vast top. Ook over een poosje met Noah erbij. Wie weet hoe snel dat is. Mij lijkt het wel vet, twee zangeressen.'

'Sorry, ik moet nu weg.' Ik drink gehaast mijn cola op.

'Ga je iets leuks doen?'

'Nee, juist niet.' Ik kijk naar Yvet en dan vertel ik het zomaar, terwijl ik haar nog maar net ken. 'Ik ga het uit- maken met Dave. Hij eh... nou ja, het komt door dat stuk over de film in de krant.'

'Over Dave en Melanie? Ik heb het gelezen.'

'Ja,' zeg ik. 'Daar kan ik niet tegen.'

'Britt, dat neem je toch zeker niet serieus?' zegt Yvet. 'Dat zijn roddels. Dat hoort in de showbizz. Daar moet je tegen kunnen. Dat went wel. Over mij en mijn vriendje hebben ze ook van alles geschreven. Er is maar één manier om daarmee om te gaan: niks van aantrekken.'

'Maar als hij nou echt verliefd is op Melanie?'

'Dat zie je gauw genoeg. Dan zoenen ze wel op de set. Melanie doet dat echt wel als er iets tussen hen is. Zon- de om het hierdoor uit te maken, Britt. Je bent hart- stikke verliefd op hem. En hij op jou. Dat laat je toch niet zomaar kapotmaken?'

Yvet heeft gelijk. Het zijn roddels. Dave kan er niks aan

doen. Voor het eerst vandaag voel ik me weer opgelucht.

Ik ga zeker bij hem langs, maar niet om het uit te maken. Wow! Langzaam dringt het tot me door: ik hoef
het niet uit te maken.

'Weet je dat jij me hebt gered,' zeg ik. 'Stel je voor dat
ik het had uitgemaakt met mijn gestreste hoofd. Ik ben
zo blij dat ik even ben gebleven.'

'Wij moeten een keer iets leuks gaan doen,' zegt Yvet.
'Volgens mij hebben wij samen een klik.'

'Deal,' zeg ik en ik pak haar hand.

Ik ben super opgelucht als ik bij Noah wegfiets. Ze
snapt het helemaal van Yvet. Noah is niet meer kwaad.
Ze vindt het zelfs een eer om met Yvet te mogen zingen. En dat snap ik ook wel, want Yvet heeft echt naam
gemaakt. 'Ik kan ook nog zoveel van haar leren,' zei ze.
Nu weten we ook alle twee dat het maar tijdelijk is dat
Noah niet mee kan doen met de band.

We zouden samen nog een testje maken, maar toen
kwam Sanne ineens langs.

Ik had echt geen zin om te blijven. Voor mij is het zo
duidelijk als wat dat Sanne achter de roddels zit. Ik heb
Noah verteld dat ik Sanne verdenk, maar ze wilde er
niets over horen. Ze werd zelfs kwaad. Kon ik het maar
bewijzen! Het is gewoon te bizar voor woorden! Noah
ligt uit de band en nu kijkt ze een dvd'tje met Sanne,
die de roddels heeft verspreid.

Ik snap echt niet dat Noah zo naïef is. Maar ik kom een
keer met bewijs, dat weet ik zeker.

Ik ben nu op weg naar Puck. Ik wil het goedmaken met haar. Nu ik Yvet heb gesproken, snap ik ineens dat ik wel een beetje te fel ben geweest. Ik had nooit mogen zeggen dat het haar goed uitkwam dat Noah eruit moest. Maar het zal nog niet zo makkelijk zijn om het goed te maken. Puck kan super koppig zijn. Ik weet nu al dat ze zo de deur voor mijn neus dichtgooit als ik aanbel. Dat zei Noah ook. Daarom hebben we iets grappigs bedacht.

Bij de snoepwinkel cross ik de stoep op. Ik zet mijn fiets neer en ga naar binnen.

'Ben je alleen?' vraagt het meisje achter de toonbank verbaasd. Meestal kom ik met Noah drop kopen.

'Ja, ik ga mijn vriendin verrassen,' zeg ik. Ik pak een papieren zak en schep wat heksendrop uit de pot. Daarna nog een schep pepermuntjes en toffees. Ik wil van alles wat hebben. Puck is ook dol op zure lappen. En ik doe er nog een schep hartjes bij. Ik kijk in de zak. Zou het genoeg zijn? Het is nog best een eindje van de garagedeur tot aan de bosjes erachter. En ze moet ze wel zien liggen. Ik doe er toch nog een schep zuurballen bij.

'Dit is het.' Ik leg de zak op de toonbank.

Blij stap ik op mijn fiets. Ik vind het nog steeds een super plan. Volgens Noah is Puck vanmiddag in de garage muziek aan het mixen. Als ik vlak bij haar huis ben, stap ik af en zet mijn fiets tegen een boom. Het laatste stuk moet ik lopen. Mocht ze dan toevallig naar buiten komen, dan duik ik weg achter een geparkeerde auto. Ik sluip het pad op. Op mijn tenen loop ik naar de garage. Shit! Pucks adoptiemoeder staat voor het open raam. Zo meteen roept ze iets tegen me. Ik zwaai naar haar en leg mijn vinger tegen mijn lippen. Zou ze weten dat we ruzie hebben? Waarschijnlijk wel. Puck vertelt meer thuis dan ik tegen mijn moeder. Aan pap zou ik het wel hebben verteld. Pap... Ik krijg meteen weer een rotgevoel. Als ik thuiskom, zal er wel een mailtje van hem zijn.

Ik gluur door het raampje in de garagedeur naar binnen. Gelukkig, Puck is er. Ze zit met haar rug naar de deur. Ik haal wat snoep uit mijn zak en maak een spoortje vanaf de deur van de garage. Terwijl ik strooi, sluip ik langs de garage naar het bosje. Ik moet lachen als ik omkijk. Het ziet er wel heel maf uit, met al die gekleurde snoepjes. Ik heb meer dan genoeg. Ik houd zelfs een heleboel over. Nu moet ik op de deur bonken. Ineens vind ik het spannend. Zo meteen is ze toch pissig. Nu niet schijterig doen, ik wil toch dat het goed komt? Ik sluip op mijn tenen naar de deur. Ik tel tot drie en dan bonk ik met mijn vuist op de deur. Ik lijk Zwarte Piet wel. Vliegensvlug schiet ik weg en ik verstop me achter de boom.

De garagedeur gaat open. 'Welk crazy kleinduimpje heeft dat spoor hier gelegd?' hoor ik Puck zeggen.

'Nou, wel lekker. Hé, mijn lievelingsdrop.' Ze moet er een in haar mond hebben gestopt, want ik hoor gemopper. 'Gadver, er zit zand op. Waar leidt dit maffe spoor nou naartoe?'

Ze is vlakbij. Ik maak me zo plat mogelijk, zodat ze me niet ziet.

'Jij!' roept ze ineens. 'Crazy!' En ze valt me om de hals. 'Wat ben je toch maf!'

'Ik heb nog over.' Ik houd de zak op.

'Kom hier met die zak. Die gaan we lekker samen opkanen,' lacht Puck. 'Ouwe gek!' Ze geeft me een zoen.

Ik moet lachen. Dit is helemaal Puck. Ik hoef niks meer te zeggen. Geen sorry of zoiets. Ze graait in de zak en stopt een handvol snoep in mijn mond.

'Zijn we weer vriendjes?' lacht ze.

'Yes!' kan ik er nog net uitbrengen. Ik duw ook een handvol snoepjes in haar mond.

'Ik was tijdelijk besmet met het gekke-Geitensok-virus!' zeg ik als mijn mond weer leeg is. 'Dan zeg ik stomme dingen. Maar ik ben weer helemaal genezen.'

Puck geeft me een por.

Dan denk ik ineens aan het briefje van Blok. Ik haal het uit mijn zak en lees het voor: 'Beste Britt, ik heb een goed gesprek gehad met de directeur van De Blauwe Stoep. Het optreden zal volgens afspraak doorgang vinden. Met hartelijke groet, Gerard.'

'Yes!' Puck vliegt me om de hals. 'Geitensokkie van me!'

Met de armen om elkaar heen lopen we terug naar de garage.

'Moet je die zien!' Puck wijst naar het buurhondje dat net wegrent met een zure lap in zijn bek.

Ik zit al in mijn pyjama als ik een sms'je krijg van pap.
Ben je online? Of slaap je al?

Ik log meteen in.

'Hi, liefie,' zegt pap. 'Wat een verdrietig bericht van Lucas. Goed dat je me hebt gemaild.'

'Hij mist je,' zeg ik. 'En ik ook. Je moet terugkomen, papa.' En dan begin ik te huilen.

'Lieverd, dat kan niet,' zegt pap. Zijn stem klinkt hees.

'Mis je ons dan niet?'

'Ja natuurlijk, maar ik heb deze stap nou eenmaal gezet. We moeten erdoorheen. Lucas en jij en ik ook.'

'En als Lucas nou nog zieker wordt? Wat dan?'

'Ik ga hem elke dag bellen,' zegt pap. 'En ik ga heel hard sparen, zodat ik gauw een poosje naar Nederland kan komen.'

'Wanneer denk je?'

'Dat kan ik niet zeggen,' zegt pap. 'Vertel eens, hoe is het met de film?'

Ik heb niet zo'n zin meer om nog verder te praten. Pap merkt het meteen. 'Ben je moe, meisje?'

'Ja,' zeg ik.

'We praten een andere keer weer verder,' zegt hij. 'Ga maar gauw slapen.'

'Goed,' zeg ik, terwijl de tranen over mijn wangen rollen. Maar van slapen zal weinig terechtkomen. Dat weet ik nu al.

12

We zijn al de hele ochtend aan het opnemen. Het gaat super. Maria is erg tevreden.

Melanie is er nog niet, die komt pas later. Ik vind het wel fijn. Dan heb ik Dave tenminste voor mezelf. We hoeven nog maar één scène op te nemen en dan worden we thuisgebracht. In de auto krijgt Dave zijn cadeautje. Ik heb een cd'tje voor hem gekocht. Ook een beetje uit schuldgevoel, omdat ik zo slecht over hem heb gedacht. Ik ben zo blij dat Yvet me heeft tegengehouden. Anders was het nu uit geweest.

Maria kijkt bezorgd naar de lucht. 'Ik ben bang dat we het niet droog houden.'

'Snel, jongens,' zegt Gijs. 'Klaar voor opname!'

Maar de eerste spetters vallen al naar beneden.

'Dit gaat niet meer lukken.' Maria heeft het nog niet gezegd of het begint keihard te plenzen.

'Snel naar binnen.' Gijs houdt een paraplu boven ons. 'Voordat jullie kleding nat wordt.'

Als we zijn omgekleed, komt hij de kleedruimte binnen. 'Ik zal jullie zo naar huis laten brengen. Die ene scène doen we een andere keer. Als het droog is, ga ik verder met Melanie.' Hij pakt zijn walkietalkie. 'Is Melanie er al?' vraagt hij.

'Ze is onderweg,' klinkt het vanuit de walkietalkie.

'Mooi,' zegt Gijs. 'Dave en Britt, Ed brengt jullie weg. Tot gauw!' Hij verlaat de kleedkamer.

Als we met zijn tweetjes in de kleedruimte zijn, komt Dave naar me toe.

'Goed idee,' zeg ik. 'Even lekker stiekem zoenen. Dat hebben we de hele ochtend nog niet kunnen doen.'

Maar Dave geeft me een kus op mijn neus.

'Sorry, liefje, maar je moet alleen terug. Ik blijf hier.'

'Moet je nog spelen dan?' Ik voel me meteen teleurgesteld. Ik wil hem zo graag het cd'tje geven.

'Nee, ik hoef niet meer te spelen. Maar ik heb Melanie beloofd te wachten tot ze klaar is. Ze heeft gevraagd of ik met haar meega naar een feest. Een party op de set van haar soap.'

'O,' zeg ik. 'Jij gaat dus met haar naar een feest. En ik dan? Mij heeft ze niet gevraagd.'

'Daar kan ik toch niks aan doen,' zegt Dave. 'Ze heeft mij mee gevraagd. Ze kent mij natuurlijk veel beter dan jou. We hebben al zo vaak samen gespeeld.'

Ik voel dat ik rood word. Wat is er allemaal gebeurd op de set waar ik niet bij was?

Dave kijkt me aan. 'Je bent toch niet jaloers?'

'Nee, het is normaal, nou goed. Denk je dat ik gek ben?'

'Britt, waar heb je het over?'

'Eerst ben je super trots dat je met haar op de foto staat. En nu ga je met haar naar een party. Wat moet ik daar nou van denken? Je bent toch mijn vriendje?!'

'Britt, het betekent niks. Melanie en ik zijn gewoon goeie vrienden. Dat mag toch wel?'

'Wanneer heeft ze je gevraagd? Zeker toen ik niet op de set was.'

'Britt, hier heb ik dus geen zin in. Ik ga me niet verantwoorden. Ik ben dol op je. Dat weet je.'

'Je bent dol op mij, maar je bent verliefd op Melanie.'

'Ik ben helemaal niet verliefd op Melanie. Hoe kom je daar nou bij? We hebben lol samen. Ik zie niet in wat daar zo verkeerd aan is.'

'Misschien vertrouw ik jóú wel,' zeg ik. 'Maar Melanie niet. Ze is al vanaf het begin bezig tussen ons te komen.'

'Britt, je ziet spoken! Melanie weet niet eens dat wij samen iets hebben.'

'Hadden,' zeg ik woest. Ik draai me om en loop de regen in. 'Veel plezier met je Melanie!'

'Ga maar!' roept Dave me na. 'Op deze manier heb ik er geen zin meer in.'

Ik word zeiknat, maar ik voel het niet eens. Weg hier! Dat is het enige wat ik denk. De tranen springen in mijn ogen. 'Niet huilen,' zeg ik tegen mezelf. 'Niemand mag er iets van merken.' Shit! Ik stap midden in een plas. Ik zie Melanie aankomen. Vuile bitch, denk ik. Heb je nu je zin? Ze zwaait naar me, maar ik draai mijn hoofd weg.

Dat heb ik weer!

Het is uit met Dave...
Hij is verliefd op Melanie. Ik voel me zo
down... Hij was de liefde van mijn leven.
Hoe kom ik hier ooit nog overheen?
Brittje

Geplaatst door: Britt | Reacties (2)

Reactie van Kelly
Hoi Britt,
Als Dave liever met Melanie gaat dan met jou, dan is hij je niet
waard. Wees maar blij dat het uit is. Je vindt vast een nieuwe
hunk, die veel leuker is en veeeeeeeeeeeel liever.
Sterkte,
Kizz, Kelly

Reactie van Reinoud
Hi Britt,
Tuurlijk kom je eroverheen. Nu niet te veel thuisblijven. Ga leu-
ke dingen doen. Ga shoppen met
je friendzz.
Lfs, Reinoud

Ik heb helemaal geen zin om te shoppen. Ik heb nergens zin in. Alles is
stom nu ik Dave niet meer heb.

Geplaatst door: Britt | Reacties (1)

Reactie van Tamara
Ha Britt,
Rot voor je. Wij hebben kleine katjes. Ze zijn zo
lief. Vraag aan je moeder of je er een mag. Als
je zo'n beestje door het huis ziet rennen, ben
je zo weer vrolijk. Je mag de mooiste uit het
nest uitzoeken.
Ik hoor het wel,
Tamara.

Lief bedacht, Tamara, maar daar hoef ik nu niet bij mijn moeder
mee aan te komen. Ze maakt zich veel te veel zorgen om mijn
broertje. Maar toch bedankt.
Britt

Geplaatst door: Britt I Reacties (1)

Reactie van Fons
Hey Britt,
Ik vind het echt rot voor je. Maak je een testje om jezelf en ons
op te vrolijken?
Liefs en sterkte, Fons

Thankx, Fons.
Hier komt het testje.
B.

Wat mag jouw lover NIET doen?

♡ Met anderen zoenen. Duhh.

♣ Zijn haar laten millimeteren (al die lieve krulletjes weg!)

◇ Niet terugsms'en. Dan denk ik de hele avond: OMG! Hij vond me
belachelijk!!!

♠ Lieve dingen sms'en ('ik wil bij je zijn') en dan niks doen!! Wat heb ik
daaraan!!??

☆ Niet komen opdagen als we een date hebben. Wat moet ik met
zo'n figuur?

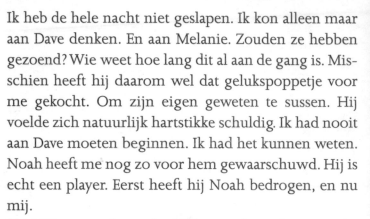

Uitslag:
△ Right! Je wilt geen player.
♣ Krulletjes zijn idd leuk!
◇ Waarom snappen die boyzzz dat nou niet? Gewoon terugsms'en, boyzzz!
♥ Heel goed, jij laat je niet aan het lijntje houden!
☆ Laat vallen. Wat een loser.

Ik voel me al iets beter. Testjes helpen altijd. En testjes liegen niet. ☺

Geplaatst door: Britt | Reacties (0)

http://www.dathebikweer.com

Ik heb de hele nacht niet geslapen. Ik kon alleen maar aan Dave denken. En aan Melanie. Zouden ze hebben gezoend? Wie weet hoe lang dit al aan de gang is. Misschien heeft hij daarom wel dat gelukspoppetje voor me gekocht. Om zijn eigen geweten te sussen. Hij voelde zich natuurlijk hartstikke schuldig. Ik had nooit aan Dave moeten beginnen. Ik had het kunnen weten. Noah heeft me nog zo voor hem gewaarschuwd. Hij is echt een player. Eerst heeft hij Noah bedrogen, en nu mij.

Shit! Wat moet ik vandaag? Ik weet het echt niet. Was pap er maar, dan kon hij me troosten.

Mijn mobieltje gaat. Het is Puck. Ik heb geen zin om op te nemen, maar doe het toch, anders staat ze hier ineens voor mijn neus. Bij Puck kun je van alles verwachten.

'Hi,' zegt Puck. 'Hoe gaat het nu? O, ik hoor het al,' zegt ze als ze me hoort snotteren. 'Waardeloos dus. Britt, je blijft daar niet het hele weekend in je eentje zitten

176

treuren, hoor. Je gaat toch wel mee vanmiddag?'

'Waarheen?'

'Weet je het niet meer? Naar die date van Blok. We gaan met z'n allen, Britt. Dat wordt lachen.'

'Ik weet het niet,' zeg ik. 'Ik weet niet of ik dat wel moet doen.'

'Hoezo niet? Omdat je moeder iets met hem heeft? Dit is niet echt, Britt. Blok weet het zelf niet eens. Het is een geintje van onze klas. Daar hoor jij bij. Anders kun je net zo goed bij het groepje van Evelien gaan.'

'Ik heb mijn pyjama nog aan,' zeg ik. 'En ik zie er ook niet uit. Ik heb heel dikke ogen.'

'Het kan me niet schelen hoe je eruitziet. Je bent mijn beste vriendin. We gaan er lekker samen heen. Ik kom je straks halen.'

'Puck, please! Ik wil niet. Ik ben niet in de mood. Ik verpest het voor iedereen.'

'Tot straks, darling. O ja,' zegt ze, 'mijn moeder is nog steeds clean.' Dan hangt ze op.

Het is goed dat Puck heeft aangedrongen. De hele klas is gekomen. Op het groepje van Evelien na natuurlijk.
We staan met zijn allen om de hoek van het terras te wachten. Iedereen is zo melig dat ik mijn eigen problemen even vergeet. Nick wijst op een oud paard dat een koetsje trekt. Op haar hoofd heeft ze een hoed. Haar oren steken uit twee gaten die in de hoed zijn gemaakt.

'Daar heb je d'r! Een oude merrie. De lover van onze Geitensok.'

'Ze heeft geen roos op haar hoed,' zegt Noah.

'Die heeft ze onderweg opgegeten,' zegt Max.

'Geen gekke partij voor Geitensok,' lacht Puck. 'Dan kan hij op haar rug naar school komen in plaats van achter zijn rollator.'

'Tijd om te vertrekken, jongens,' zegt Nick. 'Hoe gaan we dit aanpakken?'

'Jij en ik gaan voorop,' zegt Max. 'En jullie volgen allemaal. We lopen zo onopvallend mogelijk langs het terras.'

Er wordt zachtjes gejoeld. Iedereen heeft er duidelijk zin in. Ik ben zelf ook wel benieuwd hoe Bloks date eruit zal zien.

'Nick, camera in de aanslag,' zegt Max. 'We moeten het wereldwonder dat een date met Blok wil vereeuwigen.'

'We hangen haar foto in zijn lokaal,' zegt Sanne. 'In een lijstje.'

In groepjes lopen we achter Max en Nick aan. Als ze bij het terras zijn, zie ik ze kijken. Maar er wordt geen foto genomen. Ze turen naar het terras en lopen dan door. Zou ze er niet zitten?

'Ik zie ook niks,' zegt Puck als we erlangs lopen. 'Tenminste, geen vrouw met een hoed met een roos.'

'Balen,' zegt Max als we weer om de hoek van het café zijn. 'Ze is dus niet gekomen. Lekker onbetrouwbaar type. Heb ik daar mijn kostbare vrije zaterdag voor opgeofferd?'

'Hoho, hoezo opgeofferd?' zegt Noah. 'Vind je ons niet leuk genoeg?'

'Hè,' zegt Max. 'Ik wilde voor je verbergen dat ik

smoorverliefd op je ben, maar je hebt me weer door.'

'Volgens mij zit ze binnen,' zegt Puck. 'Je gaat toch niet met zo'n roos op in het zicht zitten?'

'O, hier spreekt een professional,' lacht Nick.

'Wat denk je,' zegt Puck. 'Zo zit ik elke week. Heb je mijn hoed nog nooit gezien dan? Nee? Dan heeft het dus gewerkt!'

'Oké,' zegt Nick. 'Even serieus. Max en ik gaan naar binnen. Jullie blijven buiten wachten.'

Opnieuw lopen we naar het terras.

'Zou ze haar verpleegsterspakje aanhebben?' vraagt Nick als we voor het café staan.

'Wat dacht jij dan?' zegt Puck. 'Pas maar op voor haar injectiespuit. Voor je het weet, heb je een prik in je kont.'

'Ga jij maar voor, Max,' zegt Nick. 'Jij hebt tenslotte gewonnen.'

'Ik hoop zo dat ze binnen zit,' zegt Puck als de jongens het terras op lopen. We zien ze rondkijken, maar ze zit er echt niet. Max en Nick zijn net binnen als een man op het terras opstaat. Hij heeft een hoed op. Shit! Nu zien we pas dat er een roos op zijn hoed zit. Help! Hij draait zich om en... het is Blok!

'Gauw!' zegt Puck. 'Ze moeten ervandoor, voordat Blok binnen is en hen ziet.' Ze belt Nick op.

'Zeg dat ze de achteruitgang moeten nemen,' zeg ik nog.

We zien Nick de telefoon opnemen. Precies op dat moment kijkt hij recht in het gezicht van Blok.

'Te laat,' hoor ik Nick zeggen en hij hangt op.

Die zijn er gloeiend bij. We schrikken ons allemaal rot. Blok praat met de jongens. We blijven als versteend staan.

'Wegwezen!' roept Thomas.

'Kom op,' zegt Puck. 'Nu niet gauw ertussenuit knijpen. We zijn allemaal schuldig. We laten die twee er niet alleen voor opdraaien.'

We lopen allemaal achter Puck aan het café in.

'Ik denk dat we dit beter buiten kunnen bespreken,' zegt Blok als hij ons ziet.

Zwijgend lopen we het café uit. We staan in een kring om hem heen.

'Nu weet ik tenminste wie erachter deze onsmakelijk grap zit,' begint Blok. 'Dit is geen geintje meer. Dit valt onder criminaliteit. Wees erop voorbereid dat dit jullie zwaar wordt aangerekend.'

'Het was wel als een grapje bedoeld,' zegt Nick. 'We wilden weten wie met u wou daten. U bent alleen en we vroegen ons af...'

'Bespaar me je uitleg, jongen,' zegt Blok. 'Het is zeer ongehoord wat hier is gebeurd. Er zijn grenzen. Jullie horen er nog van. Ik zal dit met meneer Kaasmaker opnemen.' Dan loopt hij weg.

Verslagen blijven we achter. Ineens draait Blok zich om en zegt: 'En om mijn privéleven hoeven jullie je niet ongerust te maken. Ik heb een vriendin, toch Britt?'

Dat heb ik weer!

OOEEEEFFFF... Ik was er bijna geweest!!!
Die sukkel Geitensok vertelde zaterdag waar iedereen bij stond
dat-ie verkering heeft. Helluppp! Ik dacht dat ik gek werd en dat
ze er met zijn allen bovenop zouden duiken. Volgens Puck sloeg
ik groen uit van de stress. Maar wat een mazzel! Niemand vroeg
er verder naar! Ze waren alleen maar bezig met hun eigen troubles. Geitensok heeft ons namelijk in de val laten lopen bij die
date van hem. Achteraf heb ik zo'n mazzel gehad. Een testje om
het te vieren:

Waarvoor heb jij het laatst op je kop gehad?

♡ Ik was helemaal de tijd vergeten en kwam te laat @ school.

♣ Ik was onder de les in slaaaaap gevallen *Zzzzzz bla bla bla Zzzzzzz*

♢ Gek doen in de klas met mijn BF: dom-
me geluiden maken :-w of gekke gezichten trekken 8-)

♠ Geen idee!

☆ Ik krijg niet zo gauw op mijn kop. Iedereen denkt dat ik super braaf
ben, haha (NOT).

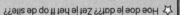

Uitslag:

♡ Hey, dat valt best mee toch!

♠ Slim, die s@@le schooluren zijn zo om als je slaaaapt!

♢ Haha! Jullie hebben VET veel lol!

♣ Da's relaxed!

☆ Hoe doe je dat?? Zet je het ff op de site??

181

Een uur nadat ik de flyer heb verstuurd, ga ik naar de site van Crazy Ontbijtkoek. Ik schrik me te pletter.

Noah, sletterig gedrag is not the key to happiness.
Mystic Moonlight

Het is echt walgelijk. Dat Sanne zoiets doet. Ik wil niet dat Noah dit leest. Dit is te erg. Ik bel Dennis en vraag of hij het meteen van de site haalt. Dit mag niemand lezen.

13

Gelukkig heeft niemand me in het weekend gebeld over Bloks opmerking, dat ik iets zou weten over zijn verkering. Maar toch durf ik niet goed naar school. Stel je voor: er hoeft maar één iemand te zijn die er iets over zegt en dan hang ik. Ik ga expres later weg, zodat niemand me op het schoolplein iets kan vragen. En stiekem ook omdat ik Dave niet wil zien. Ik kan nog steeds niet geloven dat het uit is. Vannacht droomde ik dat we samen zoenden. Het was zo fijn. Toen ik wakker werd, drong het weer tot me door: het is uit! Toen moest ik weer huilen.

Ik ben bezig mijn tas in te pakken als ik een sms'je krijg.

Dave! Ik tril als ik het berichtje openmaak.

Ik hou nog steeds van je. Kus, Dave

Wat moet ik hier nou mee? Ik wil terugschrijven dat ik ook nog van hem hou. Maar is dat niet stom? Het is uit! Hij gaat met Melanie. Ik toets Noahs nummer in.

'Hi, Noah. Een sms'je van...' Ik kom niet eens uit mijn woorden.

'Van Dave zeker?'

'Ja...'

'Wat schrijft hij? I love you?'

'Zoiets. Wat moet ik nou?'

'Niet reageren, Britt. Dat zou zo stom zijn. Je moet van hem af. Hij heeft een ander. Beloof me dat je niks doet.'

'Oké. Ik beloof het. Tot zo op school.'

Ik zou het liefst Dave nu bellen. Maar dan denk ik aan het feest bij Melanie. Hij heeft vast met haar gezoend. Ik wis zijn sms.

Vlak voor de zoemer gaat, stuif ik bij geschiedenis naar binnen. Kort wilde de deur al dichtdoen, maar ik heb het net gered. Hijgend plof ik naast Puck neer.

'Heeft iemand nog iets gezegd over mijn moeder en Blok?'

'Welnee,' zegt Puck. 'Ze hebben het niet eens gehoord.'

Kort wil net met de les beginnen als de deur van de klas opengaat. Kaasmaker komt binnen.

'Mevrouw Kort, mag ik een paar minuten van uw kostbare tijd roven?' Kaasmaker kijkt ons aan. Zijn gezicht belooft niet veel goeds.

Het is doodstil in de klas.

'Ik ben verbijsterd,' begint hij. 'Verbijsterd en diep teleurgesteld. Het bericht waar meneer Blok mij in het weekend mee opbelde, heeft me koude rillingen bezorgd. Het getuigt van geen enkel respect voor jullie medemens en geen fatsoen. Zoals meneer Blok al heeft gezegd: hier kunnen wij niet zomaar aan voorbijgaan. De komende drie weken komen jullie elke vrije mid-

dag terug. Tenminste, diegenen die dit plan hebben ge-
steund. Dit geldt ook voor de bedenkers en uitvoer-
ders van dit plan. Nick en Max, heb ik begrepen. Behalve de strafmiddagen op school worden jullie voor
drie dagen geschorst. Ik sommeer jullie nu onmiddel-
lijk te vertrekken.'
'Dat vind ik niet eerlijk,' zegt Puck. 'Wij hebben er net
zoveel schuld aan als Nick en Max. Dan stap ik nu ook
op.' Puck staat al naast haar stoel.
'Denk goed na, Puck,' waarschuwt Kaasmaker streng.
'Ik bepaal hier de regels en niet jij. Als je nu vertrekt,
hoef je niet meer terug te komen.'
Nee hè. Dit had hij niet moeten zeggen. Ik ken Puck.
Ze laat zich door niemand de les lezen. Ook niet door
de directeur. Zo meteen wordt ze van school getrapt.
'Puck, zitten!' Ik trek haar aan haar trui omlaag. 'Doe
niet zo stom.'
'Laat me.' Puck rukt zich los en blijft staan.
Nick en Max lopen de klas uit. Puck aarzelt. Als ze nou
maar niet zo stom is om te gaan. Dan ben ik haar kwijt!
'Puck, niet doen!' roepen een paar klasgenoten. Puck
kijkt me aan.
'Doe het voor mij?' smeek ik.
Het werkt. Ze gaat zitten. Ik ben blij als Kaasmaker de
klas verlaat.

Ik moet voor mam naar de stomerij. Ik haat dat soort
klusjes. Maar vandaag kan het me niet schelen. Ik heb
toch niks beters te doen. Als ik thuis zit, denk ik alleen
maar aan Dave. Huiswerk maken gaat ook niet. Ik kan

me niet concentreren. Ik heb weer een sms'je van hem gehad. *Praten?*

Het is zo fucking moeilijk om niet te reageren. Het liefst zou ik naar hem toe gaan en hem om de hals vallen. En zeggen dat het weer aan is. Maar wat schiet ik ermee op?

Ik ben blij dat we vanavond repetitie van de band hebben. Dan heb ik tenminste iets te doen. Yvet komt zingen, voor het eerst. Het zal wel raar zijn zonder Noah. Maar hopelijk is het niet voor lang.

Ik steek de straat over als ik Sanne en Thaisha zie lopen. Ik heb geen zin om ze te groeten en rijd door. Als ik omkijk, zie ik ze het internetcafé in gaan. Ik ben al de hoek om als ik op mijn rem trap. Wat moeten ze in een internetcafé? Sanne heeft toch thuis een laptop? Of mag niemand weten waar ze die roddels vandaan verstuurt?

Hier wacht ik al weken op! Ik scheur terug en kwak mijn fiets tegen een boom, een eindje van het internetcafé vandaan. Ik wacht even en dan loop ik naar het internetcafé. Ik gluur door het raam naar binnen. Sanne en Thaisha zitten achter een pc. Ik moet zien wat ze doen en ga naar binnen. Ik stel me zo op dat ze me niet kunnen zien.

'Dit wordt de grande finale,' hoor ik Sanne zeggen. Wat bedoelt ze daarmee?

Vol spanning kijk ik vanaf een afstandje naar het scherm. En dan gaat er een schok door me heen. Ze klikt onze site aan! Er kan maar één reden zijn waarom ze dat doet. Ik heb je, denk ik. Nu heb ik je betrapt. Ik zie dat ze inloggen. Met ons wachtwoord! Ik moet moeite doen om haar niet van haar stoel te sleuren en haar een klap in haar gezicht te geven. Maar ik blijf rustig.

'Het gaat ons nu lukken!' hoor ik haar zeggen.

Ik pak mijn mobieltje en maak een foto. Ik heb je, Valse Gossip Queen! Voordat ik me niet meer kan beheersen draai ik me om, stap op mijn fiets en race naar huis. Vlak bij huis denk ik pas aan de stomerij. Helemaal vergeten. Het komt later wel, eerst dit! Ik moet weten of er iets op de site is gezet. Ik cross ons pad op en smijt mijn fiets neer. Van de stress krijg ik bijna de deur niet open. Dat stomme slot ook! Hebbes! Ik ren meteen naar boven en klik onze site aan.

NEWS NEWS NEWS: Noah Buiten, de zangeres met ZERO talent, is uit Crazy Ontbijtkoek gezet! Haar zang was echt niet om aan te horen. Guitar Girl feliciteert Crazy Ontbijtkoek met dit wijze besluit.

Ha, je bent erbij, denk ik. Hoezo, dit wordt de grande finale? Voor jou ja. Ik ben zo blij dat we vanavond repeteren. En niemand die dan nog kan zeggen dat ik maar wat uit mijn nek klets. Ik heb eindelijk bewijs!

Nou nou, denk ik als ik Lucas de trap op hoor bonken. Die heeft een pestbui. Maar dan bedenk ik me dat hij vanochtend met mam voor het eerst naar de psycholoog is geweest. Voordat hij in zijn kamer is, ga ik naar hem toe.

'Hoe ging het vanochtend?'

'Gaat je niks aan.'

'Maar was ze wel aardig?'

'Ik zeg toch dat het je niks aan gaat!' Lucas gaat zijn kamer in en slaat de deur keihard achter zich dicht. Nou ja, hij laat me gewoon buiten staan!

Ik duw de deur open. 'Stom joch!' roep ik. 'Je bent gewoon een schijterd. Je durft er niet eens over te praten.'

'Je bent zelf een schijterd.' Lucas trekt de deur dicht en draait hem op slot.

'Hoezo ben ik een schijterd? Ik heb geen buikpijn omdat papa weg is, hoor!' roep ik. Ik heb meteen spijt. Maar waarom doet hij dan ook zo belachelijk tegen me? Ik haat mijn broertje.

Ik ben mijn rol aan het leren, maar kan me niet goed concentreren. Ik heb dan geen buikpijn, maar ik mis pap ook heel erg. Hoe zou het zijn als ik bij hem in Japan zou wonen? Dan ben ik van die Geitensok af. En lekker ver weg bij Dave vandaan. Dan hoef ik tenminste niet meer bang te zijn dat ik hem tegenkom. Misschien krijg ik dan verkering met een Japanse boy. Misschien zeg ik inderdaad tegen pap dat ik naar hem toe wil als hij weer belt. Tegen mam zeg ik nog niks. Wat zal ik haar missen. En Lucas en mijn vriendinnen ook. Ik weet nog niet of ik het echt durf.

Ik hoor mam beneden en ik ren de trap af.

'Mama, we moeten vroeg eten. Crazy Ontbijtkoek repeteert vanavond.'

'Geef me eerst eens een kus.' Mam houdt haar wang op.

'Het was zo'n heerlijke middag,' zegt ze als ik een kus op haar wang druk. 'Ik heb met Gerard een strandwandeling gemaakt.'

Shit! denk ik. Ze weet het dus van die date. Maar mam zegt er niks over.

'Dan zal ik maar meteen aan het eten beginnen als jij zo vroeg weg moet.' Alsof er niks aan de hand is, gaat ze de keuken in.

'Nog even en jullie hebben je optreden in De Blauwe Stoep, hè?' vraagt ze.

'Ja,' zeg ik. 'Eigenlijk moet er hard worden gewerkt. Maar vanavond zal er niet veel van repeteren komen. Ik eh... ik ben erachter gekomen wie die roddels op de site zet. Weet je wie? Sanne.'

'Weet je dat wel zeker?' Mam legt de groenten op een plank en begint te snijden.

'Ik heb bewijs. Ik zag haar vanmiddag samen met Thaisha het internetcafé in gaan.'

'Je bedoelt dat ze daarheen gingen om roddels op de site te zetten.'

'Ja, natuurlijk.'

'Dat hoeft toch helemaal niet? Daar komen zoveel mensen.'

'Je reageert al net zo irritant als Geitensok. Ik vertel je nooit meer iets.' Stom van me. Nu begin ik zelf over Blok! Ik kijk naar mam. Maar ik merk niks aan haar. Ze weet het echt niet.

'Ik meen het, Britt,' zegt mam. 'Sanne kan daar wel om een heel andere reden zijn geweest.'

'Ja, hoor! Ze is op onze site geweest en logde nog in

ook. En vlak daarna stond er weer een smerige roddel op. Rara, hoe kan dat? Zeker allemaal toeval.'

'Ik vind dat je altijd heel voorzichtig moet zijn met zulke conclusies te trekken. Dat wil ik alleen maar zeggen.'

Hier heb ik dus helemaal geen zin in. Ik draai me om en loop weg.

Ik merk dat mijn hart sneller klopt als ik 's avonds naar de garage fiets.

Het is ook zo spannend. Over een halfuur weet de hele band dat Sanne achter die roddels zit.

'Britt!' Achter me rijdt Kiki op haar bakfiets.

'Onze eerste repetitie met Yvet,' zeg ik. 'Voor jou niet dus.'

'Nee,' lacht Kiki. 'We hebben heel wat samen gerepeteerd.'

Ik heb zin om haar over Sanne te vertellen, maar ik houd me in. Ze moeten het allemaal tegelijk horen. Anders had ik het Puck en Noah ook wel vast kunnen zeggen.

'Zie je iets aan me?' vraagt Kiki. 'Ik heb een nieuwe liefde.'

'Dennis?'

'Nee,' lacht Kiki. 'Ik val niet op jongens. Ik dacht dat je dat wel wist.'

Ze valt dus op meisjes. Nu herinner ik me weer wat ze zei toen het over Thaisha ging. *Ik ken alle mooie meiden*, had ze gezegd. Stom, daar heb ik nooit meer over nagedacht. Het is niet voor haar te hopen dat ze op Thaisha is.

'Ken ik haar?' vraag ik.

'Ja,' zegt Kiki. 'Ik was al heel lang op haar. En nu is het aan.'

Zie je wel, het is Thaisha. Als ze wist dat zij samen met Sanne de roddels op onze site zet, was ze echt niet op haar. Ze krijgt straks de afknapper van haar leven.

'Ik zeg nog niet hoe ze heet,' zegt Kiki. 'Want dan weet je het meteen. Jullie krijgen haar zaterdag allemaal te zien. In De Blauwe Stoep. Ze komt naar ons optreden. Wel spannend, hoor. Ik heb nog nooit gespeeld waar ze bij is.'

Als het dan nog aan is, denk ik. Ik vind het zo moeilijk om mijn mond te houden. Gelukkig, daar heb je Dennis.

'Hebben jullie die shit op onze site gezien?' vraagt hij.

'Ja.' De allerlaatste roddel, denk ik. Maar dat horen jullie straks.

Yvet komt meteen naar me toe als ik de garage in kom. 'Goed je weer te zien.' Ze geeft me twee kussen. Wat is het toch een hartelijke meid. Zo sociaal. Daar ben ik maar een verlegen kippie bij.

'Oké friends,' zegt Puck als iedereen er is. 'We moeten vanavond hard werken. Hierna hebben we nog maar één repetitie. En dan staan we in De Blauwe Stoep. Loeispannend!'

'Ik heb de nieuwe songs al met Kiki geoefend,' zegt Yvet. 'Dus dat komt helemaal goed.'

'Super!' Puck steekt haar duim op. 'Zullen we dan maar?'

Nu moet ik het zeggen, denk ik, als iedereen zijn instrument uitpakt. Ik wil net beginnen als de deur van de garage wordt opengegooid. Wat? Ik kijk verbaasd naar Sanne. Wat moet zij hier? Even ben ik van mijn à propos. Ik heb er niet op gerekend dat ze erbij zou zijn als ik met bewijs kom. Maar misschien is het nog wel beter. Ik kan niet wachten om haar face te zien als ik haar ontmasker.

'Sorry, Sanne,' zegt Puck. 'Leuk dat je langskomt, maar we moeten heel hard werken vanavond. Ik wil liever geen toeschouwers. Dat leidt alleen maar af.'

'Ik blijf niet bij de repetitie,' zegt Sanne. 'Ik kom jullie alleen vertellen wie er achter de roddels zit.'

'Vertel op!' Iedereen komt om haar heen staan.

Kom maar op, denk ik. Ik wil die leugens weleens horen. Wat is ze toch listig. Ze doet net of ze zogenaamd een dader heeft. Ga je gang, Sanne, dit wordt de afgang van je leven.

Sanne gaat achter de laptop zitten. Ik ben zo benieuwd met wat voor onzin ze komt. Iedereen hangt aan haar lippen.

'Goed,' zegt Sanne. 'Thaisha en ik hebben uitgezocht van welke computer de roddels op onze site komen. Ja, ik wist ook niet dat dat kon, maar Thaisha is echt een computerfreak. Ze weet alles. Vraag me niet hoe ze het heeft gedaan, maar ze heeft een nummer gevonden op de site.'

'Een IP-adres heet dat,' zegt Dennis.

'Ja, zoiets,' zegt Sanne. 'We wisten het nummer dus van de desbetreffende computer, maar we moesten nog uitzoeken van wie die was.'

Moet je haar nou zien zitten! Alsof ze echt goed werk heeft geleverd. Nou meisje, wacht maar af. Straks ben ik aan de beurt.

'Het nummer dat we op de site vonden, bleek van twee oude mensen te zijn.'

Ik moet me inhouden. Dit is dus echt een belachelijk verhaal. Hoe verzint ze het? Ik heb zin om erdoorheen te roepen. Bespaar ons de rest van die onzin. Hier zit de dader, hier voor ons!

'Het lijkt me niet logisch,' zegt Puck. 'Zoiets doen oude mensen niet.'

Het valt me nog mee dat ze er niet in trappen. Het is ook wel heel dom bedacht.

Dennis zie ik ook al geërgerd heen en weer schuiven.

'Het is ook niet logisch,' zegt Sanne. 'Zonder Thaisha waren we er ook nooit achter gekomen.'

We weten nu wel hoe fantastisch die Thaisha is, denk ik geïrriteerd.

'Thaisha,' gaat Sanne verder, 'heeft haar broertje opdracht gegeven bij het huis van die oude mensen te posten. En ja hoor, maandag zag hij daar iemand naar binnen gaan. Even later kwam die persoon eruit en toen stonden er weer roddels op de site.'

Hoe ze het vertelt... Alsof het allemaal waar is. Ik heb zin om haar heel hard uit te lachen.

'Hij had een vage foto gemaakt van die persoon,' zegt Sanne. 'Maar een vage foto is natuurlijk geen bewijs.'

Nee, dat lijkt me ook niet, denk ik. Vooral niet als het allemaal is verzonnen.

'Thaisha en ik hadden afgesproken vanmiddag om dezelfde tijd naar het huis te gaan,' gaat ze verder. 'Onderweg raakte Thaisha ineens in de stress. Ze wilde nog een keer checken of het IP-adres wel klopte. Toen zijn we een internetcafé in gegaan. Het was inderdaad hetzelfde IP-adres. Dubbel gecheckt dus.'

Wat? Mijn mond valt open.

'En toen?' Puck hangt zowat helemaal over Sanne heen.

'Toen zijn we naar het huis gegaan. We hoefden niet lang te wachten. En toen... toen kwam Yvet naar buiten. Hè, Yvet? "Dag oma!" riep je nog. Je had weer iets op de site gezet.'

'Yvet?' Iedereen is verbaasd.

'Doe normaal,' lacht Yvet zenuwachtig. 'Dat kan nooit. Ik heb niet eens een opa en oma in deze stad.'

'O nee?' Sanne klikt het beeld aan. 'En dit dan?'

Er volgt een filmpje. We zien Yvet het huis uit komen. Een oude dame zwaait haar uit. 'Dag, kind. Doe je voorzichtig?'

Yvet wordt spierwit.

'Jezus!' roept Kiki. 'Jij...?'

Ik kijk naar Sanne. Ik heb haar al die tijd verdacht. Ik wist het echt zeker. Wat heb ik me vergist! Ik kan niet geloven dat Yvet erachter zit. Iedereen is in de war. Voor we er erg in hebben is Yvet vertrokken.

'Wat een klotestreek!' roept Puck. 'Ze wilde Noah weg hebben.'

'Dat is haar dus niet gelukt,' zegt Sanne. 'Dankzij Thaisha. Ze is zo bescheiden. Ze wilde niet eens mee vanavond.'

Ik kijk naar Kiki, maar ze is nog steeds sprakeloos.

'En nu?' vraagt Puck.

'Nu moet ik aan het werk,' zeg ik. 'Dit moet in de krant. Zangeres van de Bitches probeert Noah van Crazy Ontbijtkoek kapot te maken.'

'Noah kan terugkomen,' zegt Puck. 'Dit gaat ons super goeie pr opleveren.'

'Yvet...' stamelt Kiki. 'Ik had dit nooit van haar gedacht.'

'Niemand van ons had dit gedacht,' zegt Dennis. 'Wie verdenkt een ander nou van zoiets? Dat doet niemand, toch?'

Shit, denk ik. Ik dus wel.

14

HARTSVRIENDIN * Britts blog

Dat heb ik weer!

Yes!!! Ik krijg net een mailtje van De Blauwe Stoep. Het concert is helemaal uitverkocht. Crazy Ontbijtkoek gaat straks optreden voor duizend boyzz en girlzz. Noah mag meedoen. Ook van de Crush. Logisch. Hebben jullie het krantenbericht gelezen? Ik scan het ff voor de zekerheid.

Van onze verslaggever

Yvet Stok, ex-zangeres van de Bitches, probeert de nieuwe band Crazy Ontbijtkoek kapot te maken.
Wekenlang stroomde de website van Crazy Ontbijtkoek vol met roddels. De agressie was gericht tegen Noah Buiten, de zangeres van de band. De bandleden waren radeloos. Door adequaat optreden van twee vriendinnen is de dader opgespoord. Het bleek Yvet Stok te zijn, die de plek van Noah Buiten wilde innemen.

Super toch?
Love Britt

Geplaatst door: Britt | Reacties (1)

Reactie van Kelly
Super, Britt.
Zo zie je maar weer: alles komt goed.
Suc6 straks!
Kelly

Hi Kelly,
Ik wilde dat het waar was dat alles goed komt. Het is nog steeds uit met Dave. En ik mis hem zooooo!!! Hier nog een testje. Je kan wel raden welk antwoord ik had...

Zou je het ooit weer met je ex proberen?

♡ Gelijk!

♣ Jawel, alleen wil hij mij denk ik niet meer...

◇ Neeeeeeeeeh!

♠ Ik zou hem uitleggen dat het waarschijnlijk toch nix wordt.

☆ Even kijken hoe het gaat, want we zijn nog vrienden...

Uitslag:
◇ O... je bent nog verliefd op hem...
♣ Vall niet mee hé... *big HUG van Britt*
◇ Okay, da's duidelijk! No way dat je 'm terug wilt.
♠ Je bent er vrij zeker van dat het niet werkt tussen jullie.
☆ Je houdt het open, je ziet wel hoe het loopt.

Geplaatst door: Britt | Reacties (0)

http://www.dathebikweer.com

Help! Ik moet weg! Ik wil ruim op tijd in De Blauwe Stoep zijn. Ik kijk nog één keer in de spiegel. Dan ren ik de trap af. 'Mama, ik ga.'

197

'Succes, meis.'

In mijn eentje rijd ik naar De Blauwe Stoep. Dit had ik me dus heel anders voorgesteld. Ik dacht dat ik samen met Dave naar het optreden zou gaan. Ik heb niks meer van hem gehoord. Heb ook geen sms'jes meer van hem gekregen. Maar het is beter zo. Zou het al aan zijn met Melanie? Als ik eraan denk, word ik misselijk. Niet doen dus.

Vanmiddag ben ik al in De Blauwe Stoep geweest. We krijgen een eigen kleedkamer. CRAZY ONTBIJTKOEK, staat er op de deur. We lijken wel vips.

Puck komt tegelijk met mij aanfietsen. Ze ziet helemaal wit van de stress.

Met de armen om elkaar heen lopen we het gebouw in. We knijpen in elkaars hand als we de grote lege zaal zien. Technici zijn bezig microfoons te testen.

We kijken naar het podium. Daar komt Crazy Ontbijtkoek op te staan. Super trots gaan we de trap af. Ik wijs op de deur naast onze kleedkamer. Daar staat CRUSH op. Spannend!

'Wow!' roept Puck als ik de kleedkamerdeur opendoe. Er staat een grote schaal snoep. 'We kunnen zoveel kanen als we willen.' Ze kijkt meteen in de koelkast. 'Moet je dit zien. Vol cola!'

Noah is de eerste die binnenkomt. Ze is weer happy sinds de roddels zijn gestopt.

Dennis, John en Pim komen vlak na Noah binnen.

'Wat heb je aan je arm?' vraag ik aan Dennis. Een mouw van zijn jas hangt los.

'Gebroken,' zegt John. 'Hij kan niet spelen.'

'Nee!' gilt Puck.

'Geintje.' Dennis haalt zijn arm eruit.

'Eikel!' Puck geeft hem een stomp.

Noah wenkt me. 'Niet schrikken,' fluistert ze. 'Maar Dave komt ook.'

'Wat?'

'Ja, Dennis kwam hem tegen.'

Ik schiet meteen in de stress. 'Dan blijf ik in de kleedkamer.'

'Wat is er?' vraagt Puck, die klaar is met Dennis te stompen.

'Dave komt,' zeg ik.

'Lekker laten lopen,' zegt Puck. 'Er zijn nog negenhonderdnegenennegentig anderen.'

'Ik kan dit niet,' zeg ik. 'Wat moet hij hier?'

'Denk erom,' zegt Puck. 'Dit is onze avond. Je gaat genieten, hoor. Je laat je niet op je kop zitten door een of andere stupid boy.'

Ik schiet in de lach, omdat ze het zo stoer zegt. Maar ik vind Dave geen stupid boy...

Kiki komt binnen.

'Ik moet van de stress piesen,' zegt Noah en ze rent naar de wc. Twee seconden later stuift ze weer naar binnen. 'Ik zag de gitarist van de Crush op de gang!' gilt ze.

'Nee!'

'Ja!'

Puck gooit de deur open. Maar hij is alweer weg.

Ik heb helemaal geen zin om de kleedkamer uit te gaan

nu ik weet dat Dave er ook is, maar ik moet wel. Stel je voor dat er een journalist is die iets wil vragen over de band. Met tegenzin ga ik de trap op. Het is loeidruk. Jongeren stromen in vette rijen naar binnen.

'Britt!' hoor ik achter me.

Ik draai me om en kijk in het gezicht van Melanie.

'Hi,' weet ik er met moeite uit te brengen. Heeft Dave hier met haar afgesproken? Kon hij niets anders met haar gaan doen? Waarom per se De Blauwe Stoep? Het is echt een mega loser.

'Je komt zeker voor de Crush,' zeg ik als ik over de ergste schrik heen ben.

'Nee, ik ben uitgenodigd voor Crazy Ontbijtkoek door mijn nieuwe liefde.'

Ze zegt het gewoon, midden in mijn face. Het is toch niet te geloven.

Melanie loopt naar de bar. Er komen meteen bossen fans naar haar toe voor een handtekening.

Ik blijf als versteend achter. Je hebt mijn avond verpest, Dave. Bedankt. Het liefst zou ik naar huis gaan. Maar dat kan ik niet maken tegenover de band. Het lijkt wel alsof Dave geen gevoel heeft. Snapt hij dan niet hoe dit voor mij is? Misschien vindt hij het wel fijn om mij pijn te doen. Het is bijna niet te geloven dat ik met zo iemand verkering heb gehad.

Ik loop de hal in als Dave eraan komt. Ik wil wegduiken achter een pilaar, maar hij heeft me al gezien. Die gek komt nog naar me toe ook.

'Hi Britt,' zegt hij. 'Je hebt niet op mijn sms'jes gereageerd. Kunnen we misschien nu even praten?'

'Praten?' val ik woedend uit. 'Met jou zeker. Ik heb geen behoefte om met je te praten, player die je bent. Ik wil nooit meer iets met je te maken hebben. Hoepel maar op. Daar staat ze. Bij de bar. Ga maar met haar praten. Je vindt haar toch zo leuk? Hoe lang zal het duren voordat je haar bedriegt? Want daar kick je toch op, meiden pijn doen? Gefeliciteerd, het is je gelukt.'

Ik loop weg, de trap af naar de kleedkamer. Ik voel dat ik tril als ik voor de deur sta. Ik herken mezelf niet. Zo fel ben ik nooit. Maar ik heb geen spijt dat ik tegen hem tekeer ben gegaan. Wat denkt hij wel? Ik drink een paar slokken water in de wc. Pas als ik weer wat rustiger ben, ga ik de kleedkamer binnen.

'Hoe is het boven?' vraagt Puck.

'Loeidruk!' zeg ik.

Ik heb Dave en Melanie gezien, wil ik zeggen. Maar ik houd mijn mond. Zo meteen moet ik nog janken. Het gaat nu om de band.

'Is je nieuwe liefde er eigenlijk?' vraagt Puck aan Kiki.

'Yes!' Kiki straalt. 'Ze zou naar de kleedkamer komen. Ik zal haar even bellen.' Ze pakt haar mobieltje en toetst een nummer in. 'Hi, iedereen wil je zien. Ja, de trap af. Ik wacht je op. Tot zo!'

Ik kijk naar het stralende gezicht van Kiki. Zo verliefd was ik ook.

Kiki loopt de gang op. Even later komt ze met haar arm om haar vriendin heen binnen. 'Tadadadam...!' roept ze. 'Hier is ze. Mijn beauty!'

Wat? Melanie? Is Melanie Kiki's vriendin? Ik denk even dat ik gek word. Maar het is echt. Ze zijn smoorverliefd. Het druipt van Melanies gezicht. Melanie valt dus op meiden. Dan kan ze nooit iets met Dave hebben. Daves woorden gonzen in mijn hoofd. *Melanie en ik zijn gewoon vrienden.*

Ik heb het helemaal fout gezien. Ik heb Dave voor niks beschuldigd. Ik ren de kleedkamer uit, de trap op. In paniek kijk ik de zaal rond. Maar ik zie hem nergens. Ook niet bij de bar en in de hal. De gong gaat. Het concert gaat beginnen. Melanie komt de trap op.

'Weet jij misschien waar Dave is?' vraag ik gehaast.

'Ik zag hem net weggaan,' antwoordt Melanie. 'Ik weet ook niet waarom hij opeens wegging.'

'Dave!' Ik ren naar de deur en kijk naar buiten. Maar ik zie hem nergens. Ik hoor de eerste tonen van Crazy Ontbijtkoek. Ik bel Dave. Shit! Zijn mobieltje staat uit.

In de zaal hoor ik de band spelen. Onze band. Het swingt als nooit tevoren. Ik ga achterin staan. Wat hebben ze een succes! Er wordt geklapt en gejuicht. Honderden mobieltjes flitsen. 'We want more!' wordt er geroepen.

Ik zou super blij moeten zijn. En trots. Maar zo voel ik me helemaal niet. Wat heb ik gedaan?!

15

Dat heb ik weer!

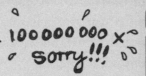

Ik ben soooooooooooooo stom geweest...!!! Dat geloof je gewoon niet.
Dave heeft niks met Melanie. Melanie gaat met Kiki van Crazy Ontbijtkoek. STUPID...!! Ik heb Dave gisteren
nog uitgescholden ook... Ik wil hem
zo graag vertellen dat het me spijt.
Maar zijn mobieltje staat uit. Ik heb
hem al wel tien keer gebeld. Zijn voicemail staat vol met een miljoen x
sorry. Maar hij luistert de berichten
vast niet af. En ik durf niet bij hem
langs te gaan.
Stupid Britt

Geplaatst door; Britt I Reacties (2)

http://www.dathebikweer.com

Zie je wel, ik heb het verpest. Ik ben Dave kwijt. Hij wil me niet meer zien. Ik heb hem weggejaagd met mijn jaloerse gedoe.

Lucas komt mijn kamer in. 'Er is iemand voor je.'
Gadver, ik wil niemand zien.
'Hij staat beneden.'
'Wie?'
'Dave.'
Dave? Dave! Ik ren de trap af. Ik donder bijna van de laatste treden. Dave! Daar staat hij, mijn hunk.
'Dave, ik ben zo stom geweest...' Maar meer kan ik niet zeggen. Dave pakt me vast en drukt een kus op mijn mond.
'Wil je me nog wel?' vraag ik als we zijn uitgekust.
Dave kust me weer. Ik voel zijn tong in mijn mond. Mam is binnen. Ze kan ons zo zien. Maar dat kan me niks schelen. Het is weer aan! Iedereen mag het weten.

'I love you,' zeg ik. 'Ik zal nooit meer zo stom zijn. Promise.'

'Jammer,' zegt Dave met glinsterende ogen. 'Ik vond het wel geinig om je zo kwaad te zien.' Hij lacht naar me. Een echte brutale Dave-lach, waar ik zo dol op ben.

'Ik wist niet dat Melanie op meiden viel,' zeg ik.

'Ik wel,' zegt Dave.

'Waarom heb je dat niet verteld?'

'Omdat je mij moet vertrouwen, Britt,' zegt Dave. 'Het gaat niet om Melanie. Het gaat om ons.'

Ik hoor de kamerdeur opengaan. Mams voetstappen klinken in de gang. Ze loopt naar ons toe.

'Dag, Dave,' zegt ze. 'Jij komt zeker oefenen voor de film?'

'Nee, Dave is hier omdat hij mijn vriendje is,' zeg ik.

'Laat hem binnenkomen,' zegt mam. 'Jullie hoeven toch niet in de gang te blijven staan?'

Droom ik of zo? Maar mam zegt het echt.

Dat heb ik weer!

YES!!! YES!!! YES!!!
Het is weer helemaal aan met mijn lover!!! Het gaat nog beter tussen ons dan voor de ruzie. Ik ben soooooooooooo *happy*! En met Noah en Dennis komt het vast ook goed. Ik zag hem heel lief

naar haar kijken. Dennis zei dat-ie
stom was geweest dat-ie Yvet had
geloofd.
Ik ben alweer naar de set geweest.
Tussen Melanie en mij loopt het nu
ook 1000x beter. Je had gelijk, Kelly. Alles komt goed. Ook met Lucas,
hoop ik. Hij is nu een paar keer bij
de psycholoog geweest. Het helpt
wel, want af en toe lacht hij weer.
Love Love Love Britt

Geplaatst door: Britt I Reacties (3)

Reactie van Kelly
Hi Britt,
S-U-P-E-R. Ik ben zo blij voor je. Ik ga naar jullie film als-ie
draait.
Kus, Kelly

Reactie van Tamara
Hi Britt,
Af en toe is ruzie wel goed. ;-)
x Tamara

Reactie van Sara
Ik had laatst ook troubles met mijn lover, maar het is niet meer
goed gekomen. Wees maar blij met je lieve Dave.
Liefs, Sara

Ben ik ook!
Ik wil hem never nooit kwijt.
Britt

Geplaatst door: Britt I Reacties (2)

Reactie van Jasper

Liefste Britty van me!
Je maakt de fout van je leven!! Dave kan
de ware niet zijn. Dat ben IK!! Wanneer
geloof je me nou eens?
Ik smacht naar je!
Je Jaspertje

Reactie van Carry Slee

Dat geslijm van jou is vet irritant, Jasper. Wanneer luister jij
nou eens naar Britt? Als je niet ophoudt, schrijf ik je er in het
volgende deel uit. Je bent dus gewaarschuwd!
Carry Slee

http://www.dathebikweer.com